知る、
わかる、
みえる

美術検定®

2
級問題

応用編
intermediate

JN101595

「美術検定」実行委員会・編

知るほど、みえてくる。

美術は、作品を「つくる力」だけで生み出されてきたわけではありません。
人々の「みる力」によって、育まれ伝えられてきました。
作品を知り、作家やその時代・社会を知れば、
作品からもっとたくさんのことがみえてきます。
美術検定は、あなたの「みる力」のステップアップを応援します。

2021年5月　監修者一同

「美術検定」のデザイン

「美術検定」は、美術の知識と知見を高め「みる力」を養うプログラムとして、4レベル
を設けた検定試験です。
同検定は、2003年に「アートナビゲーター検定試験」として会場受験スタイルで
スタートし、2007年より改称しました。

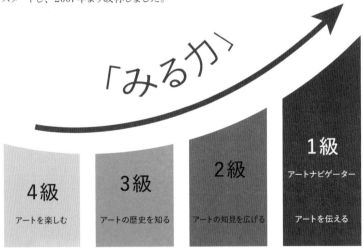

「みる力」

4級 アートを楽しむ

3級 アートの歴史を知る

2級 アートの知見を広げる

1級 アートナビゲーター アートを伝える

「美術検定」はオンライン試験へ

「美術検定」は、2020年より全級オンライン受験スタイルへと移行しました。
受験環境・試験の詳細などは、「美術検定公式サイト」を御覧ください。
https://bijutsukentei.com

「美術検定」を始めよう

Ⅰ あなたは イメージ派? テキスト派?

～「学習タイプ」で知る合格へのヒント～

Q.「モナ・リザ」と聞いて、
　最初に思い浮かべたのは?

A.「モナ・リザ」の絵画イメージ
B. レオナルド・ダ・ヴィンチの名前

A ▶ **視覚優位タイプ**

絵画や写真のように二次元イメージが頭に入りやすく、そこから思考することが得意なタイプです。また、空間や時間軸など三次元的にアイデアを発展させる傾向があります。

B ▶ **言語優位タイプ**

文字や文章からイメージを浮かべ、思考することが得意なタイプです。また、文字や文章を整理しチャート化して考え、アイデアを発展させる傾向があります。

時間の制約がある中で、幅広い美術史を効率的に学ぶのはなかなか苦難の道です。
でも、自分の脳内処理システムの特性を知ることで、合格の早道が開けることもあります。
まずは自分の認知特性——「視覚」と「文章」のどちらから情報をとらえ、
考えたり理解したりすることが得意なのか——を知ることから始めてみましょう。

こう学習するのがオススメ！

作品をじっくり鑑賞＋分析

ビジュアル記憶や分析に優れたこのタイプの人は、まず、美術館や画集、Webサイトを活用して、作品をじっくり鑑賞することから始めるのがオススメ。ポイントは、「何が描かれているのか」「何が表現されているのか」「どのように表現されているか」「2つの作品の共通点や相違点は何か」と、いくつかの作品を選び、分析的に鑑賞することです。また、美術家や美術作品を題材にした映画も上手に活用を。時代背景や人間関係の把握にもぴったりです。

こう学習するのがオススメ！

美術関連の書籍で知識蓄積

文章から思考を発展させることに優れたこのタイプの人は、西洋・日本美術史の流れが網羅された「文章中心」の入門書を読み込むことから始めるのがオススメ。ポイントは、ノート（メモ）をとり、様式や時代の特徴、湧いた疑問を整理しながら読むことです。そこから、興味のある美術家、あるいは様式や時代を絞りましょう。そのうえで関連する書籍、美術用語集などを活用していくと、徐々に知識が増え、理解が深まります。

Ⅱ タイプ別 美術史ラーニング方法

～楽しく学んで合格に近づこう！～

STEP 1 作品や映画をみるときは、分析的に！作家や表現の特徴や時代背景をビジュアルから取り出そう。

STEP 2 今までみてきた作品を組み合わせて、美術史の流れをイメージ。その流れを、手描きやノートアプリなどで描いてみよう。

STEP 2 書籍で得た知識を、ノートに整理しよう。各様式の代表作品のイメージも併せてチェック。美術史の大きな流れもまとめてみよう。

STEP 1 『西洋・日本美術史の基本』で大きな美術の流れをつかもう。『続 西洋・日本美術史の基本』などで、レベルに合わせたジャンルや概念的な知識を補足。

STEP 3

「美術検定」1級に合格した先輩たちによると、
「美術は楽しく勉強するのが合格への早道！」とのこと。
このページでは、合格者から聞いた美術史を楽しく学ぶコツを、
「視覚優位タイプ」「言語優位タイプ」に分けて紹介します。

STEP 3

STEP 4

『西洋・日本美術史の基本』『続 西洋・日本美術史の基本』の
内容と、鑑賞してきた作品を関連付けて理解を深めよう。次に
「各級問題集」を解き、自分の理解度や苦手ジャンルを確認。
解けなかった問題は、解説と関連書籍で知識を補足しよう。

＼ **合 格 者 の 体 験 談** ／

座学だけでは文字が通り過ぎるだ
けなので、可能な限り美術館や展
覧会を巡り、作品をみています。鑑
賞後には必ずノートに鑑賞文を書
くことで、情報整理をしていまし
た。検定対策として、いつまでに何
をするという計画を作り、実行。関
連書籍はアンダーラインを引きな
がら読み、自分でノートにまとめま
した。また、美術館の講座や学芸
員のギャラリートークは、作品と知
識の接点を楽しく発見できる機会
として活用しました。

（徳島県　山本さん）

STEP 4

「各級問題集」を解いて、自
分の理解度や苦手ジャンル
を確認。解けなかった問題
は、解説と関連書籍を読ん
で、知識を補足しよう。

STEP 5

美術館や大型画集、Web
サイトを活用した作品の鑑
賞を！　今まで得た知識と
作品を重ねた鑑賞を通し
て、より深い理解や新たな
発見をしよう。

＼ **合 格 者 の 体 験 談** ／

『カラー版西洋美術史』『カラー版
日本美術史』をざっと読み、検定
対策として『公式テキスト』で美術
史の大きな流れをつかみました。
巻頭の年表と目次は丸暗記。ま
た、関連書籍から各様式を代表す
る作家と作品をピックアップして印
刷し、余白に基本情報と美術史の
観点から「なぜその作品や作家が
重要か」などのポイントをメモして、
部屋に年代ごとに貼付。撮影した
画像をモバイル機器に保存して、
暇があれば見返しました。

（東京都　山下さん）

※「美術検定」はオンライン試験への移行に伴い、作品画像はカラー表示になりました。
　作品は、画集やWebサイトなどで、カラー画像を確認しておくのがおすすめです。

Ⅲ 2級レベルと出題範囲をチェック！

美術史ラーニングのコツをつかんだら、いよいよラーニング開始。
試験のレベルと出題範囲を把握しましょう。

出題レベルと出題形式

2020年実績（オンライン試験として実施）

［出題レベル］	西洋・日本美術に関する幅広い知識を持ち、美術史に関わるさまざまな概念を理解する。また、美術鑑賞の場の役割や現状を理解する。
［出題形式］	全問選択式　制限時間90分 美術史問題80問＋知識・情報の活用問題5問／60分 実践問題15問／30分
［合格の目安］	正答率約60％　※受験者全体の正答率により変動

出題範囲

出題ジャンル

西洋美術史	古代の美術～1970年代までの美術と関連する芸術領域。
日本美術史	先史・古墳時代の美術～1970年代までの美術と関連する芸術領域。
現代美術	1980年代以降の現代美術。
東洋美術	日本美術史に関連が深い中国が中心。韓国、中央アジア、西アジアの美術。
工芸・デザイン	西洋は、アーツ・アンド・クラフツ運動～1960年代までの主要な様式と関連事項。日本は、平安時代～現代までの陶磁器を中心とした歴史と関連事項、漆工芸・染織の変遷、技法など。
美術館・関連行政・展覧会／実践問題	基本的な美術館史、国内外の主要美術館の特徴、美術館の施設や活動、基本的な美術館行政の知識、美術に関する時事など。
知識・情報の活用問題	上記ジャンルの出題範囲より培った情報を整理、関連付けなどにより出題。

範囲の目安となる書籍

『改訂版　西洋・日本美術史の基本』
『続 西洋・日本美術史の基本』
『この絵、誰の絵？』
『美術検定2級問題集』（2021年発行）
『増補新装 カラー版20世紀の美術』
『アートの裏側を知るキーワード』

※出題には、目安となる書籍以外に、『カラー版美術史シリーズ』『美術出版ライブラリー　歴史編　日本美術史』（美術出版社刊）を基本書籍として参照しています。

詳しい試験概要やお申込みは「美術検定公式サイト」を check!

https://bijutsukentei.com

Ⅳ 本書で学習ポイントをおさえる！

本書は一冊で広い出題ジャンルをカバーしています。
その中で、1・2・5・6章ではテーマを絞り関連資料を用いて問題を解く、[大問]形式を採用。
本書を通して美術検定の出題傾向やパターンを学びながら、大型の作品集や
ほかの文献などを参照して興味や理解を深めることが、効果的な学習につながります。

point
● 各様式・傾向・時代の特徴や時代背景などに関わる大問と情報資料

point
● 美術史の大きな流れがわかる様式・傾向・時代区分

point
● 各様式・時代を理解・研究する手がかりとなるキーワード

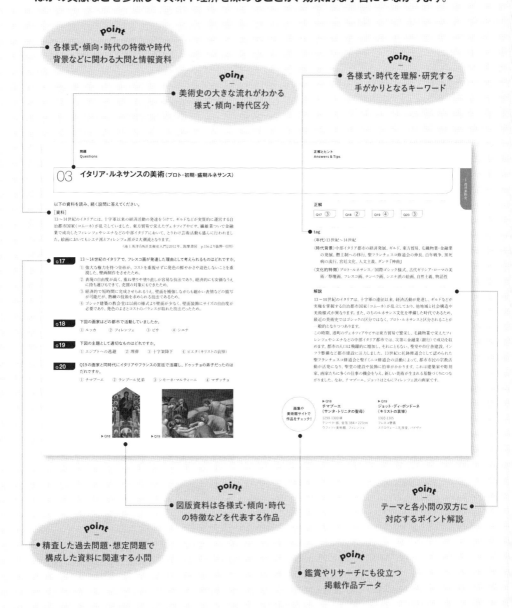

point
● 図版資料は各様式・傾向・時代の特徴などを代表する作品

point
● テーマと各小問の双方に対応するポイント解説

point
● 精査した過去問題・想定問題で構成した資料に関連する小問

point
● 鑑賞やリサーチにも役立つ掲載作品データ

V ナカムラクニオ式に学ぶ 美術史の流れを"ざくっと"マッピング！

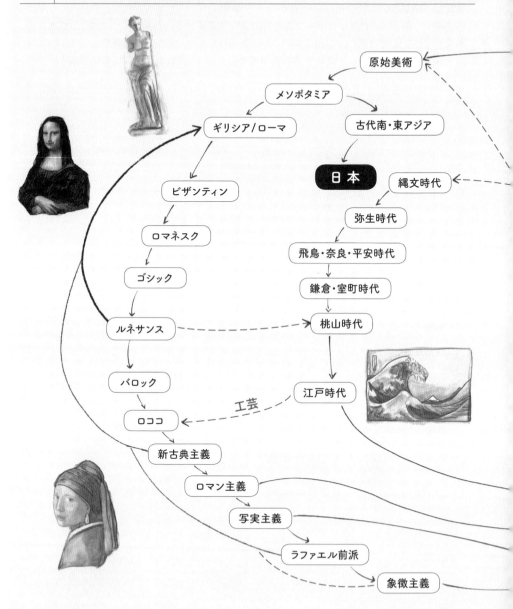

原始美術

メソポタミア

ギリシア/ローマ

古代南・東アジア

ビザンティン

日本

縄文時代

弥生時代

ロマネスク

飛鳥・奈良・平安時代

ゴシック

鎌倉・室町時代

ルネサンス

桃山時代

バロック

ロココ

江戸時代

工芸

新古典主義

ロマン主義

写実主義

ラファエル前派

象徴主義

≡ 合格者の声

西洋美術史はルネサンス、日本は近代から、と興味のある時代から学び始めました。興味のない時代は、興味があった時代をコアに数珠つなぎにまとめていくと興味がわきました。　（東京都　山下さん）

美術史は、研究者たちによる研究と解釈で、新事実の発見や更新を重ねて創られてきたもの。
その複雑な美術史を学ぶには、"大きな流れ"を自分なりに整理してみるのがオススメです。
ここでは、独自の切り口で美術の面白さを伝えるナカムラクニオさんが、
「循環する美術史」という視点で、西洋・日本美術史をチャート化！

チャート・イラスト＝ナカムラクニオ
profile＊TV番組ディレクター、金継ぎ作家など多くの顔を持つ。近著は『チャートで読み解く美術史入門』（2020年、玄光社）、『洋画家の美術史』（2021年、光文社）など。

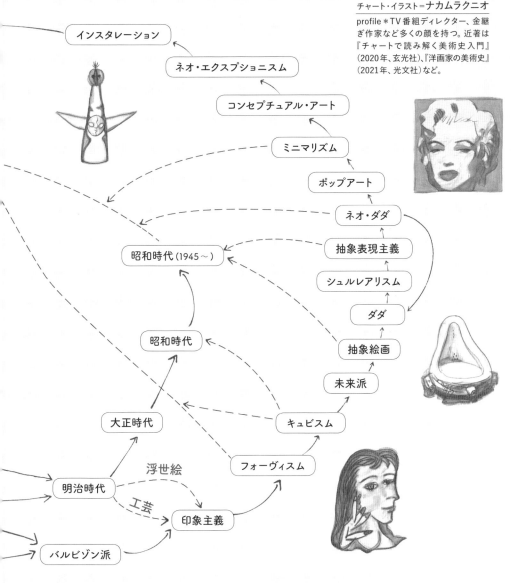

インスタレーション

ネオ・エクスプショニスム

コンセプチュアル・アート

ミニマリズム

ポップアート

ネオ・ダダ

抽象表現主義

シュルレアリスム

ダダ

抽象絵画

昭和時代（1945〜）

昭和時代

未来派

大正時代

キュビスム

フォーヴィスム

明治時代

浮世絵

工芸

印象主義

バルビゾン派

≡ 合格者の声

複雑な近・現代美術は、意識的に現代美術館に足を運ぶようにしました。作品や展示された時代チャート、作家のトークなどから、すとんと頭に入ってくることも多いと思います。　（徳島県　山本さん）

目次

美術検定®
2級問題集

Part 1
西洋美術史 15

Part 2
日本美術史 107

1　西洋美術史

2　日本美術史

3　現代美術

4　その他のジャンル

5　知識・情報の活用問題

6　実践問題

作品の読み解きルールもわかる！って本、
ないかな〜？

じゃあ、この2冊はどう？
新書の『西洋美術史入門』！

絵画を読む
最強タッグ！

池上英洋著
『西洋美術史入門』（2012年）
筑摩書房（ちくまプリマー新書）　950円＋税

池上英洋著
『西洋美術史入門　実践編』（2014年）
筑摩書房（ちくまプリマー新書）　950円＋税

これから美術史を学ぼうとする高校生に向けて書かれただけ
に、わかりやすい西洋美術史の入門書。「絵画を読む」とは何
か？　そのための知識やスキルを身につけるための方法とは？
──著者は読者のそんな疑問に鮮やかに応え、「絵画を読む」
面白さを教えてくれます。また、時代区分ごとの概要と主要作
例がコンパクトにまとめられた章は大助かり。『実践編』は続編
で、絵画への実際のアプローチ手法の実例がわかりやすく書か
れたものです。2冊を読めば、入門からさらに一歩、理解を深
め、絵画のみかたが大きく変わるはず！　　　（大阪府　鶴田さん）

1 西洋美術史

問題作成・執筆者

—

古代〜バロック・ロココ

荒木和（女子美術大学　特命助教、女子美術大学美術館　学芸員）

近代〜1970年代

野田由美意（美術史家、北見工業大学教授）

齊藤佳代（エデュケーター、東京国立近代美術館　特定研究員）

01 古代の美術

以下の資料を読み、続く設問に答えてください。

［資料］
古代ギリシアは、ポリスと呼ばれるいくつもの都市国家が協力体制を築いたり、戦争をしたりしながら文明圏を形成して地中海での覇権を握りました。紀元前5世紀にはそれぞれの都市に<u>巨大神殿建築①</u>が出現しています。神殿を飾る浮彫や<u>彫像は神々を表すものも多く②</u>、古代ギリシアの人々が神々は人間と同じ姿と気持ちを持っていると考えていたことが明らかになっています。

Q1 古代ギリシアにおいて、下線部①のような大規模な建築はだれの決定により建てられましたか。

① 皇帝　　　　　　　　② 司祭
③ 哲学者　　　　　　　④ 市民

Q2 下線部①の建築では、中央部のふくらんだ「エンタシス」という曲線の柱が使われています。その理由として、最も有力なものはどれですか。

① 外光によって中央部分がくびれて見えるのを防ぐため。
② 重量のある屋根の負荷が中央部に一番かかるため。
③ 曲線のフォルムによって優美な感覚を持たせるため。
④ 地震の揺れを外部に逃がしやすくするため。

Q3 Q1の建築の代表的な作例である、パルテノン神殿の造営監督を務めたと考えられている彫刻家はだれでしょう。

① アペレス　　　　　　② フェイディアス
③ リュシッポス　　　　④ ペリクレス

Q4 右図は下線部②の例ですが、どの神の像ですか。

①ゼウス　　　　　　　②アポロン
③ヘルメス　　　　　　④ポセイドン

▶ Q4

正解

Q1 ④ Q2 ① Q3 ② Q4 ③

tag

〈年代〉紀元前10世紀頃～1世紀

〈時代背景〉ポリス（都市国家）の形成、アテネの繁栄、民主政、ギリシア神話、ギリシア詩、自然哲学、プラトンのイデア論、アリストテレスの哲学思想

〈文化的特徴〉古代ギリシア美術／エーゲ文明、クレタ美術、ミュケナイ美術／幾何学様式時代、黒絵式陶器、アルカイック時代、巨大彫刻、クラシック時代、大絵画、コントラポスト、神殿建築、オーダー、ヘレニズム時代

解説

古代ギリシアでは紀元前8世紀頃からポリスが建設され、その城山であるアクロポリスに市の守護神を祀る神殿が設けられました。柱にエンタシスが採用された理由は柱が荷重を支えていることを表現するためという説もあります。

紀元前5世紀にアテネで直接民主政が実現した頃、美術史もアルカイック期からクラシック期へと移行しました。前期にはミュロン、フェイディアス、ポリュクレトスの三大彫刻家が登場します。ギリシア最大の彫刻家といわれたフェイディアスはパルテノン神殿の復興の総監督を務め、多数の彫刻家との共同制作による彫刻群は現在でも見ることができます。紀元前4世紀（クラシック期の後期）にはプラクシテレスが多くの神像を制作し、ヘレニズム時代やローマ時代にそれらのコピーを生むことになりました。掲出図版のヘルメスはゼウスの子で、神々の使者を務める青年神です。美術作品では、しばしば翼のついたサンダルと帽子を身につけ、蛇が絡みついた伝令杖を持った姿で表されます。

画集や美術館サイトで作品をチェック！

▶Q4
プラクシテレス《ヘルメス》
BC330-BC320頃
大理石、高さ213cm、オリンピア出土
オリンピア考古学博物館

以下の資料を読み、続く設問に答えてください。

［資料］

紀元前5世紀に共和制を樹立したローマは、帝政初期までに<u>独自の建築①</u>と建築装飾を生み出しました。とくに装飾では<u>大理石貼りを模した漆喰による壁画や遠近法を用いた壁画②</u>にその特徴が見出せます。また、初代皇帝アウグストゥスの時代、帝政下のローマでは、皇帝の政治のすばらしさをたたえるために、『（A）』が盛んになります。『（A）』には戦争の情景を記録したものが多く、目に映ったままの情景が再現されていますが、中でも強調したい人物などは実際より大きく扱われています。

Q5 下線部①にふさわしい建築ジャンルはどれですか。

① ムセイオン ② 宮殿
③ バシリカ ④ 門

Q6 下線部②の代表的作例として頻繁に採り上げられる下図ですが、その説明として適切なものはどれですか。

① ディオニュソスの秘儀を連続的に絵画化し、大画面に描いている。
② 生き生きとした線画で三次元的な像を表現し、短縮法を用いている。
③ 遠近法の理論に基づき、建築物と対比させた風景を描いている。
④ 壁面の中央部に小さく主題を描き込んでいる。

Q7 資料の（A）にふさわしい用語はなんですか。

① 公共建築 ② 肖像彫刻
③ 貴金属工芸 ④ 歴史浮彫

Q8 アウグストゥスに始まる帝政ローマ時代の五賢帝のうち、Q7を用いた巨大な柱を造らせたのはだれですか。

① ネルウァ ② トラヤヌス
③ ハドリアヌス ④ アントニヌス・ピウス

▶Q6

正解

| Q5 | ③ | Q6 | ① | Q7 | ④ | Q8 | ② |

tag

〈年代〉紀元前1世紀頃〜1世紀（共和制末期〜帝政時代の美術）

〈時代背景〉都市国家、共和制、帝政、ローマ帝国の東西分裂、ヴェスヴィオ山の噴火、ギリシア・ローマ神話、ラテン語、ラテン文学、ローマ建国史、天文学、キリスト教公認

〈文化的特徴〉ヘレニズム美術／エトルリア美術、古代ギリシア美術／歴史浮彫、肖像彫刻、公共建築、インテリア装飾

解説

フィレンツェなどイタリア中部のトスカーナ地方は、紀元前8世紀末までにエトルリア人が複数の都市国家を築き、独自の美術を育んでいました。しかし、紀元前6世紀には都市国家ローマが一帯を制圧し、さらにローマは紀元前2世紀にはヘレニズム諸都市へ侵攻して多くのギリシア美術を略奪品として持ち帰りました。紀元前27年に始まる帝政期はギリシア美術のコピーやギリシアの影響を受けた歴史浮彫、建築を中心に広がります。

ローマ独自の美術としては、コロッセウムに代表される円形競技場やのちに教会堂建築に応用されたバシリカ（列柱とアーケードを持つ公共建築）、記念碑的な建造物である凱旋門のように皇帝の権威を象徴する建造物が挙げられるでしょう。また、ポンペイの壁画にも時代が新しくなるにつれてローマで発展した様式が見られます。ポンペイは79年にヴェスヴィオ山の噴火で埋もれましたが、18世紀以来、発掘が続けられました。掲載の《ディオニュソスの秘儀》は、遺跡の中でも保存状態がよいものです。

画集や
美術館サイトで
作品をチェック！

▶Q6
《ディオニュソスの秘儀》（秘儀荘）
BC50頃　壁画
ポンペイ

02 中世美術

以下の資料を読み、続く設問に答えてください。

[資料]

初期キリスト教時代、各地で教会堂建築が盛んになります①。西ローマ帝国滅亡後の西方世界では国家が再編され、修道院も郊外に建てられるようになりました。修道院では『ケルズの書』のような豪華な写本②制作が盛んになります。一方、東ローマ帝国では精神性を重視したビザンティン美術が花開きました。聖堂は「神の館」として、最も高所で奥まった場所である中央大円蓋と東端アプスは天を、底部壁面から床は地上を表すなどの装飾体系による典雅な壁画装飾を生みました。

Q9 下線部①の時代の教会堂建築は、おもにローマ建築を引き継いだバシリカ式と集中式の2タイプを中心に発展します。下図の建物はどのプランで建てられましたか。

① バシリカ式プラン   ② 集中式円形プラン
③ 集中式八角形プラン   ④ 集中式六角形プラン

Q10 下線部②のような、紙が発明される以前のヨーロッパで制作された書物は、どのようなものに文字や絵を書いていましたか。

① 絹の布   ② 動物の革   ③ 金属の板   ④ 木の皮

Q11 中期ビザンティンの教会堂では、下図のような図像はどこに配置されましたか。

① アトリウム   ② ネーヴ   ③ トランセプト   ④ アプス

Q12 Q11のイコンは、どの技法で描かれていますか。

① エンカウスティック（蝋画）   ② モザイク
③ テンペラ   ④ フレスコ

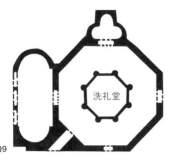

▶ Q9

▶ Q11・12

正解

| Q9 ③ | Q10 ② | Q11 ④ | Q12 ② |

tag

〈年代〉3〜15世紀

〈時代背景〉ミラノ勅令、ローマ帝国の東西分裂、ゲルマン民族の大移動、西欧諸国の成立、封建制度、東ローマ帝国の繁栄、イコノクラスム、修道院、カロリング・ルネサンス

〈文化的特徴〉初期キリスト教美術、ビザンティン美術、初期中世美術／ヘレニズム美術、ユダヤ教の建築、ササン朝ペルシアの美術／カタコンベ、壁画、石棺彫刻、バシリカ式教会堂建築、集中式教会堂建築、モザイク装飾、キリスト教図像学、イコン、写本、貴金属工芸

解説

313年のミラノ勅令により公認されたキリスト教は、ヨーロッパ各地に広がります。その後のゲルマン民族の大移動などにより政情不安に陥ったローマ帝国は、395年に東西に分裂しました。これを機に西ヨーロッパ各地ではのちの国家の礎が築かれ始めます。それにともない、各地で聖堂や東ヨーロッパから伝わった修道院の建設が行われ、次第に修道院が文化の発信地となりました。美術史では、この時期の美術を初期中世美術と分類しています。6世紀になるとアイルランドや北イタリア、北東フランスなどの修道院で写本挿絵の制作も始まっていました。一方の東ローマ帝国（ビザンティン帝国）では、初期キリスト教美術を母胎にヘレニズム・西アジア美術の影響を加えた美術が発展します。100年以上続いたイコノクラスム（聖像破壊運動）により造形美術は一時後退しますが、その後は教会堂建築と壁画装飾、イコン制作、写本挿絵などに独自の世界を生み出しました。宮廷の儀式的な側面に叶う荘厳な様式、精神的・霊的なものを求める理知的な傾向はビザンティン美術の特徴の一部です。また、中世のキリスト教美術では教義を伝えるために図像学も発展しました。

画集や
美術館サイトで
作品をチェック！

▶ Q9
**ラテラノ礼拝堂の
集中式八角形プラン**
（初期キリスト教時代）

▶ Q11・12
《全能のキリスト》

1148　後陣（アプス）・モザイク壁画
チェファル大聖堂、シチリア島
Photo= Gun Powder Ma

以下の資料を読み、続く設問に答えてください。

[資料]

ロマネスク①美術は、11世紀から12世紀にかけての西ヨーロッパの建築に、のちのゴシック建築②と異なる特質を、後世の考古学者が見出したことから呼ばれ始めました。同時期のヨーロッパでは十字軍の派遣や聖地巡礼ブームによって、各地の修道院が発展しロマネスク様式を形成していきます。12世紀半ばから15世紀の都市部では、都市の発展と教会権力を象徴する豪華な大聖堂建築が盛んになりました。中世末期には、南仏や北イタリアの都市で同時多発的に国際ゴシック③様式が現れます。

Q13 美術史で下線部①の言葉が用いられるようになったのはいつ頃からですか。

① 18世紀半ば   ② 18世紀末

③ 19世紀初頭   ④ 19世紀末

Q14 ロマネスク美術について正しく述べているものはどれですか。

① 古代ギリシア・ローマに倣った人間を主役にした芸術表現が隆盛した。

② 百年戦争やペストの大流行で政情不安となり、大聖堂建築は衰退した。

③ 聖像破壊運動により造形表現は一時衰退したが、周辺地域に拡大する契機となった。

④ この様式の建築は、重厚な石壁と開口部の狭さによる暗い内部空間を持つ。

Q15 下線部②は3つの時代に区分されます。下図の彫刻が付属している聖堂の名称と時代区分の正しい組み合わせはどれですか。

① サン＝ドニ修道院聖堂 — 初期ゴシック

② シャルトル大聖堂 — 盛期ゴシック

③ ランスのノートル＝ダム大聖堂 — 盛期ゴシック

④ グロスター大聖堂 — 晩期ゴシック

Q16 下線部③の様式の特徴として、正しいものはどれですか。

① 視覚効果を狙った大胆な装飾や天井画が配された聖堂が建てられた。

② ルネサンスへの移行期に現れ、洗練された宮廷風の優美さを特徴とした。

③ 古典古代の時代の再生を求め、西欧各地で同時多発的に展開された様式。

④ ロマネスク美術の影響が色濃く、地域ごとの特色を持つことで知られる。

▶ Q15

正解

| Q13 ③ | Q14 ④ | Q15 ③ | Q16 ② |

tag

〈年代〉11〜15世紀

〈時代背景〉封建制度、教皇領、修道院の発展、十字軍の遠征、自治都市の発展、貨幣経済の普及、聖地巡礼の流行、教会の大分裂、黒死病の流行、百年戦争、宮廷文化

〈文化的特徴〉ロマネスク美術、ゴシック美術、国際ゴシック様式／初期中世美術／ロマネスク様式の巡礼路教会、キリスト教主題の壁画、ゴシック様式の大聖堂、丸彫り彫刻、祭壇画の発展、シエナ派の絵画

解説

ロマネスク様式とは、19世紀初頭の学者たちが11〜12世紀に建てられた聖堂建築に、ゴシック建築との差異を見出したところから使い始めた言葉です。「ローマ風の」という意味があります。当時の聖堂はおもに郊外の修道院に付属して建てられ、多くの巡礼者たちを受け入れるためにバシリカ式が主流でした。また、大型の石屋根を支えるための厚い壁と小さい開口部が、ロマネスク聖堂の特徴となりました。しかし、薄暗さは「祈りの家」としての聖堂に適した空間でした。12世紀半ばになると経済的に繁栄してきたフランスの都市で大聖堂の建築が盛んになります。サン＝ドニ修道院聖堂がゴシック大聖堂の端緒といわれています。盛期には、フランス国王の菩提寺としてランス大聖堂が建設されました。ゴシック様式の特徴は、建築技術、ステンドグラスのほか、大聖堂を彩る多数の彫刻にも現れています。Q15で掲載した彫刻は人像柱ですが、各像は建物から独立した彫刻のようです。こういった丸彫り彫刻も盛期ゴシック彫刻の代表的な造形です。また、ランス大聖堂の彫刻のようなＳ字形の姿勢は、ルネサンス期に本格化しました。

14世紀には百年戦争に続き、黒死病の蔓延で西ヨーロッパは混乱期を迎えます。この頃から大聖堂建築は減少し、ゴシック様式は宮殿や邸宅などに引き継がれていきました。また、美術家たちの交流が旺盛となり、イタリアやフランスの宮廷都市では国際ゴシック様式と呼ばれる絵画や彫刻が現れます。

画集や美術館サイトで作品をチェック！

▶ Q15
《ご訪問》

1230/1245-55頃　西正面中央扉口右側壁
彫刻
ノートル＝ダム大聖堂、ランス

03 イタリア・ルネサンスの美術（プロト・初期・盛期ルネサンス）

以下の資料を読み、続く設問に答えてください。

［資料］

13〜14世紀のイタリアには、十字軍以来の経済活動の発達をうけて、ギルドなどが実質的に運営する自治都市国家（コムーネ）が乱立していました。東方貿易で栄えたヴェネツィアやピサ、繊維業ついで金融業で成功したフィレンツェやシエナなどの中部イタリアにおいて、とりわけ芸術活動も盛んに行われました。絵画においてもシエナ派とフィレンツェ派が2大潮流となります。

（池上英洋『西洋美術史入門』2012年、筑摩書房　p.156より抜粋・引用）

Q17 13〜14世紀のイタリアで、フレスコ画が発達した理由として考えられるものはどれですか。

① 強大な権力を持つ皇帝が、コストを重視せずに発色の鮮やかさや退色しないことを重視した、壁画制作をさせたため。

② 表現の自由度が高く、重ね塗りや塗り直しが容易な技法であり、経済的にも安価なうえに持ち運びもできて、売買の対象にもできたため。

③ 経済的で短時間に完成させられるうえ、壁面を補強しながらも細かい表情などの描写が可能だが、熟練の技術を求められる技法であるため。

④ ゴシック建築の教会堂は以前の様式より壁面が少なく、壁面装飾にサイズの自由度が必要であり、発色のよさとコストのバランスが取れた技法だったため。

Q18 下図の画家はどの都市で活動していましたか。

① ルッカ　　② フィレンツェ　　③ ピサ　　④ シエナ

Q19 下図の主題として適切なものはどれですか。

① エジプトへの逃避　　② 埋葬　　③ 十字架降下　　④ ピエタ（キリストの哀悼）

Q20 Q19の画家と同時代にイタリアやフランスの宮廷で活躍し、ドゥッチョの弟子だったのはだれですか。

① チマブーエ　　② ランブール兄弟　　③ シモーネ・マルティーニ　　④ マザッチョ

▶Q18

▶Q19

正解

| Q17 ③ | Q18 ② | Q19 ④ | Q20 ③ |

tag

〈年代〉13～14世紀

〈時代背景〉中部イタリア都市の経済発展、ギルド、東方貿易、毛織物業・金融業の発展、僭主制への移行、聖フランチェスコ修道会の伸長、百年戦争、黒死病の流行、宮廷文化、人文主義、ダンテ『神曲』

〈文化的特徴〉プロト・ルネサンス／国際ゴシック様式、古代ギリシア・ローマの美術／祭壇画、フレスコ画、テンペラ画、シエナ派の絵画、自然主義、物語性

解説

13～14世紀のイタリアは、十字軍の遠征以来、経済活動が発達し、ギルドなどが実権を掌握する自治都市国家（コムーネ）が乱立しており、他地域と社会構造や美術様式が異なります。また、のちのルネサンス文化を準備した時代であるため、最近の美術史ではゴシックの区分ではなく、プロト・ルネサンスと区分されることが一般的となりつつあります。

この時期、港町のヴェネツィアやピサは東方貿易で繁栄し、毛織物業で栄えたフィレンツェやシエナなどの中部イタリア都市は、次第に金融業（銀行）で成功を収めます。都市の人口は飛躍的に増加し、それにともない、聖堂や市庁舎建設、インフラ整備など都市建設に注力しました。13世紀に托鉢修道会として認められた聖フランチェスコ修道会と聖ドミニコ修道会の活動によって、都市市民の宗教活動が活発になり、聖堂の建設や装飾に拍車がかかります。これは建築家や彫刻家、画家たちに多くの仕事の機会を与え、新しい美術が生まれる基盤づくりにつながりました。なお、チマブーエ、ジョットはともにフィレンツェ派の画家です。

画集や美術館サイトで作品をチェック！

▶ Q18
チマブーエ
《サンタ・トリニタの聖母》

1290-1300頃
テンペラ・板、金箔 384×223cm
ウフィツィ美術館、フィレンツェ

▶ Q19
ジョット・ディ・ボンドーネ
《キリストの哀悼》

1303-05
フレスコ壁画
スクロヴェーニ礼拝堂、パドヴァ

以下の資料を読み、続く設問に答えてください。

［資料］

初期ルネサンス①は、14世紀末から15世紀初めにあたり、フィレンツェを中心に建築・絵画・彫刻の分野でそれぞれ革新的な指導者によって創始されました。その興隆には、実質的なパトロンの存在が大きく貢献しています②。15世紀半ば以降は盛期ルネサンスと呼ばれ、ルネサンスの3大巨匠をはじめ、多くの「万能の人」が活躍しました。

Q21 下線部①の「15世紀」とほぼ同じ意味で使われる用語はどれですか。

① ノヴェチェント
② クアトロチェント
③ トレチェント
④ チンクエチェント

Q22 下図は下線部①の時代に描かれた絵画です。作品の説明として正しいものはどれですか。

① ヨルダン川でヨハネからイエスが水による洗礼を授かっている場面である。
② ギベルティの弟子、パオロ・ウッチェロによって描かれた作品である。
③ サン・フランチェスコ聖堂の《聖十字架物語》の一部である。
④ ポプラ材に油彩で描かれている。

Q23 下線部②にあたるのは、どの家系ですか。

① ゴンザーガ家
② ヴァロワ家
③ ハプスブルク家
④ メディチ家

Q24 1506年にローマで発見された下図の群像に、最も衝撃を受けたルネサンス期の彫刻家はだれですか。

① ドナテッロ
② ギベルティ
③ ヴェロッキオ
④ ミケランジェロ

▶ Q22

▶ Q24

正解

Q21 ②　　Q22 ①　　Q23 ④　　Q24 ④

tag

〈年代〉15〜16世紀

〈時代背景〉自治都市国家、ギルド、貨幣経済の浸透、メディチ家の発展、教皇による文芸保護、宮廷文化、古代遺跡の発掘、人文主義、イタリア戦争

〈文化的特徴〉初期・盛期ルネサンス／プロト・ルネサンス、古代ギリシア・ローマの美術／ルネサンス様式建築、自然主義、写実的な表現、一点透視図法、理想化された身体の表現

解説

コムーネによる経済発展と、十字軍遠征以降の西アジア・ビザンティンを経由して再流入した古代ギリシア・ローマ文化などをきっかけに始まったのがルネサンスです。その思想背景には、プロト・ルネサンス期の詩人ダンテやペトラルカからの時代から育んだ人文主義がありました。このような背景から、古代ギリシアと共和制ローマを模範として、合理的で人間的、自然主義的な文化がフィレンツェを中心に花開きます。

中世からルネサンスにかけて、画家や彫刻家は工房を構え、大画面の壁画から彫刻、家具の装飾までクロスジャンルの注文に応じていました。画家のピエロ・デッラ・フランチェスカは、無駄を省いた量感ある人物造形、明るく清澄な色彩、そして透視図法を駆使した秩序ある空間構成により、フレスコやテンペラで静謐で安定感のある絵画を制作しました。彫刻家ながら絵画も手がけたミケランジェロは、出土した古代彫刻を研究し、とくにヘレニズム彫刻から、激しい身振りや筋肉の盛り上がった人体描写について影響を受けました。

画集や
美術館サイトで
作品をチェック！

▶Q22
ピエロ・デッラ・フランチェスカ
《キリストの洗礼》

1437以降
テンペラ・板　167×116cm
ナショナル・ギャラリー、ロンドン

▶Q24
《ラオコーン》

BC40-20頃（1506年ローマ出土）
パリオ大理石　163×112×高さ208cm
ヴァティカン美術館、ローマ

以下の資料を読み、続く設問に答えてください。

[資料]

16世紀になるとルネサンス美術の中心はフィレンツェからヴェネツィアに移っていく。当時のヴェネツィアは、激化するトルコとの対立や新航路の開拓による東方貿易の衰退から経済的には下降に向かった。しかし、出版業者の集中などによる知的サークルが形成され、新しい人文主義が栄え文化的には黄金期を築く。

(千足伸行監修『新・西洋美術史』西村書店、1999年　p166より抜粋・再構成)

Q25　以下のうち、ヴェネツィア派の絵画の特徴を説明したものはどれですか。

① 自然と古代美術を手本とした、均整化・理想化を加えた描写。
② 人体の比率をデフォルメした誇張表現や、冷たく鮮やかな色調による描写。
③ 中世ゴシック美術の伝統に従いながらも、人間的で現実的な物語描写。
④ 描画の自由度が高い画材による、色彩と筆触を重視した詩情豊かな描写。

Q26　ジョルジョーネとティツィアーノは同じ工房出身です。彼らの師はだれですか。

① ジョヴァンニ・ベッリーニ　　② アンドレア・マンテーニャ
③ ポライウォーロ兄弟　　　　　④ アントネッロ・ダ・メッシーナ

Q27　下図の作者と主題の組み合わせとして、適切なものはどれですか。

①ジョルジョーネ — 聖会話　　②ティントレット — 最後の晩餐
③ティツィアーノ — バッカス祭　④ヴェロネーゼ — レヴィ家の饗宴

Q28　Q27の絵画の説明として、適切なものはどれですか。

① キリストが裏切り者の存在を告げるシーンを描いているが、左上の明かりが生み出す強烈な明暗や、テーブルを斜めに配して強調された遠近感が臨場感を与えている。
② 真横に延びる白いテーブルクロスの中心にキリスト、その手前にユダを配した構図は明確だが、情景としてはやや不自然である。
③ 祝福するキリストの右側3番目にユダが座っていることを示すため、ユダが銀貨入りの袋を持つ情景を描いている。
④ キリストがユダを手振りで示し、示された男性は右手で自身を指差し、左手でつかんだ椅子を斜めに描くことで、ユダの動揺を表現している。

▶Q27·28

正解

Q25 ④ Q26 ① Q27 ② Q28 ①

tag

〈年代〉16世紀

〈時代背景〉東ローマ帝国の滅亡、大航海時代、東方貿易の不振、活版印刷の発明・印刷業の発展、人文主義、イタリア戦争

〈文化的特徴〉盛期ルネサンス／プロト・ルネサンス、初期ルネサンス、古代ギリシア・ローマの美術／自然主義、理想化された身体の表現、一点透視図法、油彩技法、豊かな色彩

解説

ヴェネツィア派の隆盛には、1480年頃から油彩画を採り入れたベッリーニの存在が欠かせません。ヴェネツィア派を代表するジョルジョーネ、ティツィアーノの両名がベッリーニの工房出身です。ヴェネツィアでは、個人の依頼による作品制作が多く、より豊かな色彩と詩情にあふれ、動きある絵画が歓迎されました。このような表現は、重ね塗りなど描画の自由度が高い油彩画だから可能でした。早逝したジョルジョーネは詩的で豊かな自然描写が特筆されます。一方、ティツィアーノは色彩の魔術師と呼ばれるほど鮮やかな色遣いや、自在な空間構図、そして官能的な女性描写で国際的な名声を得ました。次世代のティントレットは、ティツィアーノの色彩とミケランジェロ的な人体描写を目指します。

なお、ベッリーニが油彩技法を採用したのは、北方絵画の影響で油彩技法を使っていた、メッシーナのヴェネツィア滞在がきっかけだという説もあります。また、ヴェネツィアでは、支持体として板でなくキャンヴァスが普及しました。これは同地が港町で帆布が簡単に手に入ったという理由もあるそうです。

画集や
美術館サイトで
作品をチェック！

▶ Q27・28
ティントレット
《最後の晩餐》
1592-94
油彩・キャンヴァス　365×568cm
サン・ジョルジョ・マッジョーレ教会、ヴェネツィア

04 北方ルネサンスの美術

以下の資料を読み、続く設問に答えてください。

［資料］
北方ルネサンスの創始者にあたる1人は、15世紀初頭に活躍した「フレマールの画家」①と呼ばれる逸名画家といわれます。彼の作品には現実性を追求した人物描写、上層市民の家のような空間表現がされており、イタリア絵画とは異なる北方絵画の特徴が表れているのです。カンピンよりやや遅く出たファン・エイク兄弟は、油彩技法を大成したといわれています。弟のヤンは、パノラマ的風景表現や凸面鏡を配置した絵画②なども残していました。

Q29 今日、下線部①の画家と同一人物とされているのはどの画家ですか。

① ロベルト・カンピン　　　　② ヤン・ファン・エイク
③ ロヒール・ファン・デル・ウェイデン　　④ ハンス・メムリンク

Q30 下図の右側の人物は画家の守護聖人とされ、画家ギルドの名称にもなりました。この聖人はだれですか。

① 聖パウロ　　　　② 聖ヨハネ
③ 聖マルコ　　　　④ 聖ルカ

Q31 ヤン・ファン・エイクの《アルノルフィーニ夫妻像》には、下線部②にあるような凸面鏡が描かれています。そこに映っているモチーフはなんですか。

① 小猫　　　　② 画家自身
③ リンゴ　　　　④ 子羊

Q32 15〜16世紀のヨーロッパでは風景を描く際に、空気遠近法と色彩配置で距離感を表現していました。以下のうち、近景→中景→遠景を表す色の組み合わせはどれですか。

① 黄色→緑→白　　② 青→茶色→白
③ 緑→黄色→青　　④ 茶色→緑→青

▶ Q30

正解

| Q29 ① | Q30 ④ | Q31 ② | Q32 ④ |

tag

〈年代〉15～16世紀

〈時代背景〉フランドル諸都市の経済発展、商業ルネサンス、ハンザ同盟、都市貴族層の勃興、ブルゴーニュ公国、大航海時代、ローマ・カトリックの弱体化、人文主義

〈文化的特徴〉北方ルネサンス／ゴシック美術、イタリア・ルネサンス、古代ギリシア・ローマ美術／油彩技法の発祥・完成、自然主義、空気遠近法、精緻な写実的描写、幻想性、祭壇画、肖像画、風俗画、静物画、風景画

解説

今日のオランダとベルギーを含む地域をネーデルラントと呼び、南部がフランドル地方です。フランドル地方では早くから毛織物業で栄えたブリュージュ（ブルッヘ）やゲント（ヘント）、ブリュッセルなどの都市が発展し、芸術家たちの活躍の舞台ともなっていました。イタリア同様に商人層とギルドが力を持ちながら、貴族化した支配階級が併存しており、人間的な文化が芽生えます。絵画表現においては、イタリアの古典回帰とは異なり、より現実的な指向で極めて写実的な絵画も制作しています。

カンピン（フレマールの画家か）やファン・デル・ウェイデンは、写実性に加え彫刻的な重厚さと率直さで広く受け入れられ、後世に直接的な影響を与えました。一方、ファン・エイク兄弟は、油彩技法による細密な描写を実現します。15世紀後半には、バウツやメムリンク、ボスが、16世紀に入るとイタリア・ルネサンスの影響も受けたブリューゲル一族が活躍しました。

画集や
美術館サイトで
作品をチェック！

▶ Q30
ロヒール・ファン・デル・ウェイデン
《聖母子を描く聖ルカ》

1435-40頃
油彩・テンペラ・板　137.5×110.8cm
ボストン美術館

以下の資料を読み、続く設問に答えてください。

［資料］

15世紀のフランスでは、<u>プロヴァンス地方やロワール川流域の宮廷などで、優美な表現の画家たちが活躍します。</u>一方、スイスでは実在の風景を背景に描く画家も現れました。16世紀のドイツでは、デューラーがイタリアで学んだ造形理論を融合した絵画様式を生み出し、版画家としても大成します。同時代には、デューラーと対象的に、ゴシック末期の人間の苦悩を劇的に表現した（A）や、ルターと親交のあった（B）もいました。

Q33 下線部の頃、下図を描いた画家とタイトルの組み合わせとして、正しいものはどれですか。

① ムーランの画家《聖母戴冠》

② コンラート・ヴィッツ《奇跡の漁り》

③ ジャン・フーケ《ムランの聖母子》

④ アンゲラン・カルトン《アヴィニョンのピエタ》

Q34 下図で死神のアトリビュート（持物）として描かれている物はなんですか。

① ろうそく　　　　　　　② あご付きの槍

③ 大鎌　　　　　　　　④ 砂時計

Q35 文中の（A）（B）に該当する画家の組み合わせとして、正しいものはどれですか。

① A＝アルトドルファー、B＝グリューネヴァルト

② A＝グリューネヴァルト、B＝クラーナハ（父）

③ A＝ハンス・ホルバイン（子）、B＝アルトドルファー

④ A＝グリューネヴァルト、B＝ハンス・ホルバイン（子）

Q36 デューラーらを保護し、人文主義者から「最後の騎士」と讃えられた、北方ルネサンスのパトロンはだれですか。

① マクシミリアン1世　　　② フィリップ善良公

③ フランソワ1世　　　　　④ フェルディナンド1世

▶ Q33

▶ Q34

正解

Q33 ③　　Q34 ④　　Q35 ②　　Q36 ①

tag

〈年代〉15〜16世紀

〈時代背景〉北ドイツ諸都市の経済発展、ハンザ同盟、神聖ローマ帝国、ハプスブルク家、宗教改革、人文主義、神秘主義、印刷技術の発展

〈文化的特徴〉北方ルネサンス／ゴシック美術、イタリア・ルネサンス、古代ギリシア・ローマ美術／油彩技法、自然主義、空気遠近法、精緻な写実的描写、祭壇画、肖像画、風景画、版画の発展

解説

イタリアから見たアルプス以北を指す「北方」には、ネーデルラントのほかにフランス、ドイツも含まれます。この地域ではイタリア・ルネサンスのような統一された思想背景はないものの、多くの芸術家たちが各地の宮廷や教会のバックアップなどを得て活躍しました。16世紀のドイツに登場したデューラーの功績の1つは、技術の高さと内容の豊かさによって版画を芸術の1ジャンルに押し上げたことです。印刷技術の発展で大量の複製が可能になった当時、ヨハネの『黙示録』の出版でデューラーの名声がヨーロッパ中に広まりました。なお、掲載した版画は《騎士と死と悪魔》ですが、《メランコリアⅠ》、《書斎の聖ヒエロニムス》とともに、彼の3大銅版画といわれています。一方、同時代の画家として知られるグリューネヴァルトは、「イーゼンハイム祭壇画」に見られるように、ゴシック美術の伝統を引き継ぎました。また、この時代のドイツは宗教改革運動のさなかで、クラーナハ（父）はルターと、ホルバイン（子）はエラスムスと親交があり、それぞれ肖像画も描いています。

画集や
美術館サイトで
作品をチェック！

▶ Q33
ジャン・フーケ
《ムランの聖母子》

1452
油彩・板 94.5×85.5×1.2cm
アントワープ王立美術館

▶ Q34
アルブレヒト・デューラー
《騎士と死と悪魔》

1513
エングレーヴィング 24.6×19cm
国立西洋美術館、東京

05 マニエリスムの美術

以下の資料を読み、続く設問に答えてください。

[資料]

マニエリスムの語源は、手法や様式を指すイタリア語の「マニエラ」にあります。同時期の芸術家たちは先人たちのマニエラを形式的に真似た、と否定的にとらえられていたのです。しかし20世紀には、この時代特有の不自然で複雑なポーズや歪み、凝った構図、奇想的な趣向などが、マニエラを超えた創造的な「手法主義」として見直されました。<u>この特徴はフランスやスペイン、プラハの宮廷文化の中にも見つかります。</u>

Q37 〈資料〉から考えられるマニエリスムの特徴として、最も妥当なものはどれですか。

① ラファエロ《アテネの学堂》の、線遠近法に則った端正な造形を基準とした。
② 初期ルネサンスの「写実性」をさらに強調する表現様式を基準とした。
③ 黄金比による身体プロポーションの構成を基準とした。
④ ミケランジェロの《最後の審判》以降の後期個人様式を造形の基準とした。

Q38 ジョルジョ・ヴァザーリが設計したフィレンツェの官庁舎(現ウフィツィ美術館)は、どの家のために建てられたものですか。

① エステ家　　② スフォルツァ家　　③ メディチ家　　④ ベッリーニ家

Q39 下線部に関して、イタリアで修業したのちにスペインのトレドに移り、下図などを描いた画家はだれですか。

① ジュゼッペ・アルチンボルド　　② パルミジャニーノ
③ ブロンツィーノ　　　　　　　　④ エル・グレコ

Q40 下線部のうち、フランス中部で活動した芸術家グループが生んだ様式をなんと呼びますか。

① ロマニスト
② フォンテーヌブロー派
③ ドナウ派
④ ヴェネツィア派

▶ Q39

正解

| Q37 ④ | Q38 ③ | Q39 ④ | Q40 ② |

tag

〈年代〉16世紀

〈時代背景〉イタリア戦争、ローマの劫略、宗教改革、宮廷文化、神秘主義、反古典的な耽美主義、錬金術、社会的・精神的な危機感

〈文化的特徴〉マニエリスム／盛期ルネサンス／極度に洗練された芸術的技巧、観念性、人体のねじれたポーズ、人体の極端なデフォルメ、冷たく鮮やかな色調、滑らかな表面の仕上げ、遠近法の誇張、非合理的空間描写

解説

マニエリスムの発端は、ミケランジェロやラファエロの後期作品に現れる複雑な人体表現や画面構成の「マニエラ」にあるともいわれています。当時の社会は、ルターに端を発した宗教改革の時期であり、1527年にはイタリア戦争中の神聖ローマ皇帝がローマを劫略したことから古典主義が下火となり、宮廷主導の反ルネサンス的な美術が流行しました。この傾向は建築にも顕著に現れています。

初期マニエリスム期には、ポントルモやパルミジャニーノらがルネサンスの人体把握の正確さや空間表現の合理性、現実的な陰影や色彩からの逸脱をしていきます。40年頃からの中期には、ブロンツィーノやヴァザーリらがさらに技巧を洗練させ、寓意性を高めました。この頃、フランスではフォンテーヌブロー派、プラハやウィーンではアルチンボルドが活躍するなど、マニエリスムが欧州各地に広まります。70年代以降の後期にはティントレットやジャンボローニャが出ますが、芸術に対する教会の統制が強まり、マニエリスムは終焉に向かいました。

画集や
美術館サイトで
作品をチェック！

▶Q39
エル・グレコ
《オルガス伯の埋葬》

1586-88
油彩・キャンヴァス　487.5×360cm
サント・トメ教会、トレド

06 バロック美術

以下の資料を読み、続く設問に答えてください。

[資料]

17世紀ヨーロッパの美術を（A）と呼びますが、これは本来「（B）」という意味を表し、後世の批評家たちの戸惑いを示す言葉でした。しかし今日では、誇張や劇的な効果を追求①した17世紀の美術全体の傾向を指すものとして使われています。とはいえ、当時の美術は地域ごとに独特の、多様な様式を含んだもの②でもありました。

Q 41 文中（A）（B）に入る語の組み合わせとして、適切なものはどれですか。

① A＝バロック、B＝死せる自然
② A＝ロココ、B＝貝殻装飾の文様
③ A＝バロック、B＝ゆがんだ真珠
④ A＝ロココ、B＝虚しさ

Q 42 下図はバロック美術の開始を告げる作品ともいわれています。その主題はなんですか。

① 聖マタイの召命　　② 聖マタイの殉教
③ 聖マタイの霊感　　④ 聖マタイの受難

Q 43 下線部①の、バロック美術の共通傾向を具体的に示しているのはどれですか。

① ヴェルサイユ宮殿の「鏡の間」に見る、空間が無限に広がるようなイリュージョニスム
② カラヴァッジョの《果物籠》に見る、精緻なまでの写実精神
③ フェルメールの絵画に見る、カメラ・オブスクーラを利用した市民生活の描写
④ レンブラントの晩年の自画像に見る、内面を照らし出すような光の描写

Q 44 下線部②の理由として、最もふさわしいものはどれですか。

① 地理的な場所の違い
② 発展した産業の違い
③ 宗教観、政治体制の違い
④ 模範とした芸術家の違い

▶ Q42

正解

| Q41 ③ | Q42 ① | Q43 ① | Q44 ③ |

tag

〈年代〉17〜18世紀

〈時代背景〉絶対王政、近代国家・市民社会の形成、大航海時代、植民地支配、キリスト教の分裂、科学技術の発展、美術アカデミーの設立

〈文化的特徴〉バロック美術／イタリア・ルネサンス／劇的表現、光と影の効果、空間・時間の無限性、イリュージョニスム、運動感・ダイナミズム、アレゴリー

解説

17世紀から18世紀前半のヨーロッパの美術はバロック様式と総称されます。バロックという言葉は本来、ポルトガル語で「ゆがんだ真珠」という意味を持っていました。このバロック美術の幕開けは、16世紀末、ローマに現れた画家カラヴァッジョの、激しい明暗描法と斬新な自然主義が関連付けられ、カラヴァッジェスキと呼ばれる多くの追随者をヨーロッパ各地に生み出しました。

17世紀の美術の特質としては、曲線の多用や過剰な装飾性、明暗や動感を強調した劇的な表現、イリュージョニスムが挙げられます。これらは絵画に限らず、彫刻、建築、装飾分野にも及びました。一方で、宗教観の違いや政治体制の違いから、さまざまな表現様式や技法も生まれた時代でもあります。スペインやフランスは旧教国であり、絶対王政を確立し、王侯貴族文化とともに美術行政にも乗り出します。オランダのように富裕な市民階級が力を持ち、いち早く市民社会を形成し始めた国では、風俗画や風景画といったジャンルが確立しました。

画集や美術館サイトで作品をチェック！

▶ Q42
ミケランジェロ・メリジ・ダ・カラヴァッジョ
《聖マタイの召し出し》
1599-1600
油彩・キャンヴァス　322×340cm
サン・ルイジ・デイ・フランチャージ教会、ローマ

以下の資料を読み、続く設問に答えてください。

[資料]

イタリアでは、完成されたバロック様式は1630年代のローマで生まれたと考えられ、その中心となったのが彫刻家ベルニーニでした。卓越した描写力で物語の一瞬をとらえ、彫刻の設置空間も一体化させた寓意的で劇場的な表現を生み出しました。また、同時代の芸術家たちも錯視的な空間を創造しています①。一方、スペインでは、16世紀半ばから文化の「黄金時代」を迎え、王室への客観的な姿勢で驚異の視覚芸術②を生んだベラスケスをはじめ、絵画や彫刻、文学などで多くの芸術家を輩出しました。

Q45 ベルニーニが下図の作品解釈のもとにした書物はどれですか。

① オウィディウス『変身物語』
② チェーザレ・リーパ『イコノロギア（イコノロジア）』
③ ダンテ『神曲』
④ ボッカチオ『デカメロン』

Q46 下線部①にあるような、バロック・イリュージョニスムの極致ともいわれる《イエズス会伝道の寓意》（サン・ティニャーツィオ教会、ローマ）を描いた画僧はだれですか。

① アンニバーレ・カラッチ　　② ピエトロ・ダ・コルトーナ
③ グイド・レーニ　　　　　　④ アンドレア・ポッツォ

Q47 下線部②を象徴し、「絵画の神学」と絶賛された作品の1つはどれですか。

①《ラス・メニーナス》
②《イノケンティウス10世の肖像》
③《鏡をみるヴィーナス》
④《王太子バルタサール・カルロス騎馬像》

Q48 スペインで人気を集めたマリア信仰の1つ「無原罪の御宿り」を、宗教美術の図像として完成させた画家はだれですか。

① エル・グレコ
② ホセ・デ・リベーラ
③ フランシスコ・デ・スルバラン
④ バルトロメー・エステバン・ムリーリョ

▶ Q45

正解

| Q45 ② | Q46 ④ | Q47 ① | Q48 ④ |

tag

〈年代〉17〜18世紀

〈時代背景〉絶対王政、大航海時代、植民地支配、ローマ・カトリック、科学技術の発展、文化の黄金時代

〈文化的特徴〉バロック美術／イタリア・ルネサンス／劇的表現、光と影の効果、空間・時間の無限性、イリュージョニスム、運動感・ダイナミズム、アレゴリー

解説

バロック美術には多くの寓意が盛り込まれています。イタリア・バロックの中心的芸術家、ベルニーニの《ヴェールを剥がされる真理》も寓意的な作品です。女性は「真理」の象徴で、右手に持った太陽の光は真理を明らかにし、左足を地球儀にかけたポーズは世俗を超越することを意味します。剥ぎ取られるヴェールは真理を覆い隠すものの象徴です。このような抽象的概念の擬人化の方法と意味付けを集大成した書物が『イコノロギア（イコノロジア）』（1593年初版）でした。1603年版ではさらに多くの項目や図版が追加され、ヨーロッパにおける寓意図像の表現に長く影響を及ぼしました。一方、視覚効果を意識した作品もまた、バロック美術に多く見られます。スペインの宮廷画家ベラスケスは、《ラス・メニーナス》において、視覚的なトリックやハプスブルク家の栄光、そして画家の芸の優位を織り込んだ重層的な構図を生みました。貧困層を描いたムリーリョも、60年に素描アカデミーの設立にも携わり、マドリード宮廷画壇を上り詰めた1人です。

画集や
美術館サイトで
作品をチェック！

▶Q45
ジャン・ロレンツォ・ベルニーニ
《ヴェールを剥がされる真理》
1645-52
大理石　高さ280cm
ボルゲーゼ美術館、ローマ

以下の資料を読み、続く設問に答えてください。

[資料]

16世紀後半にネーデルラントは南北に分断されます。その南側がフランドルで、スペイン帝国の支配の下、国際貿易港アントウェルペンを中心に17世紀半ばまで繁栄しました。この繁栄期を代表する画家がルーベンスです。ルーベンスは大工房を構え、各地の王侯貴族からも絶えない多彩なジャンルの注文をほかの画家や弟子たちとともに共作しました①。ルーベンスの工房で共作や修業した画家たちは、それぞれ得意分野の専門画家としても活躍しています②。

Q49　国際的な活躍をしたルーベンスですが、20代だった彼を宮廷画家として最初に迎えた権力者はだれですか。

① マリー・ド・メディシス　　② アルブレヒト7世

③ フェリペ4世　　④ マントヴァ公ヴィンチェンツォ1世

Q50　下図の解説として、ふさわしいものはどれですか。

① アクタイオンが遭遇した、ディアナとニンフたちの水浴場面。

② エウロペが侍女たちと遊んでいるところを、略奪を目論むユピテルが近づく場面。

③ アポロンとムーサたちがパルナッソスに向かっている場面。

④ ユピテルの命により、羊飼いのパリスが3人の女神の中から最高の美女を選ぶ場面。

Q51　下線部①の弟子のうち、18世紀の英国肖像画に影響を与えた画家の作品はどれですか。

①《マリー・ド・メディシスの肖像》(プラド美術館)

②《家族といる自画像》(プラド美術館)

③《チャールズ1世の肖像》(ルーヴル美術館)

④《ヘンリー8世》(ウォーカー・アート・ギャラリー)

Q52　下線部②について、植物図鑑のような花卉画や静物を得意とした画家はだれですか。

① ヤン・ブリューゲル(父)　　② フランス・スネイデルス

③ ダーフィット・テニールス(子)　④ ヤーコプ・ヨルダーンス

▶ Q50

正解

| Q49 ④ | Q50 ④ | Q51 ③ | Q52 ① |

tag

〈年代〉17世紀

〈時代背景〉ネーデルラントの南北分断、スペイン支配下、アムステルダムの発展、ローマ・カトリック

〈文化的特徴〉バロック美術／北方ルネサンス、イタリア・ルネサンス、イタリア・バロック美術／ルーベンスの大工房、色彩重視、劇的表現、運動感・ダイナミズム、絵画ジャンルの細分化

解説

アントウェルペン（アントワープ）出身のルーベンスは、23歳から8年間イタリアに留学し、マントヴァ公の宮廷画家となります。当時、古代やルネサンス美術とともにカラヴァッジョ様式も消化し、宗教画や肖像画の注文を受け始めました。1608年に帰国し、アルブレヒト大公の宮廷画家としてアントウェルペンに工房を構えます。アントウェルペン大聖堂の2大祭壇画は10年から手がけたもので、造形や強烈な明暗法などイタリア絵画の影響が色濃く見られます。20年代には、大工房に多くの弟子を構え、ヨーロッパ各地からの注文に応じる分業体制を確立しました。その中にはイギリス王の宮廷画家となったヴァン・ダイク、現実的な画風で風俗画を描いたヨルダーンス、緻密な動物画を得意としたスネイデルスなど、優れた画家たちがいました。また、共作した画家の中には、友人で花や風景の寓意画を残したヤン・ブリューゲル（父）もいます。

ルーベンスの絵画には、大工房を構えた頃から、華麗なリズムと色彩、肉感的なプロポーションの女性など彼の特色が強く現れます。なお、掲載した《パリスの審判》は、ルーベンスが最も多く描いたといわれる主題です。

画集や
美術館サイトで
作品をチェック！

▶ Q50
ピーテル・パウル・ルーベンス
《パリスの審判》

1632-35頃
油彩・板　144.8×193.7cm
ナショナル・ギャラリー、ロンドン

以下の資料を読み、続く設問に答えてください。

[資料]

17世紀のオランダは国際貿易による強い経済基盤から、いち早く市民社会を形成し、美術のパトロンを新しい層が担いました。成功した市民たちは、ステータス・シンボルとして「肖像画」を求め、大流行します。また、先進的に市場経済が発展したオランダでは、多くの美術品も芸術市場で取引されていました。その結果、画家たちは独自の主題を求め、風景画①、海洋画、風俗画、静物画②など多様なジャンルを開拓していったのです。

Q53 庶民から裕福な市民までを描き、オランダの肖像画の基盤を築いた画家はだれですか。

① ヤコブ・ファン・ロイスダール　　② ヤン・ステーン

③ フランス・ハルス　　④ ピーテル・デ・ホーホ

Q54 下線部①が成立した背景として、最もふさわしいものはどれですか。

① 17世紀オランダでは戸外でのスケッチが一般的となり、戸外風景を描く画家グループができた。

② オランダのパトロンは市民層が多く、理想化された国土を描いた風景画が好まれ流行した。

③ 芸術の中心地イタリアへの憧れから、画家たちが理想化した古代ローマの姿を再生しようとした。

④ 貿易で輸入された東洋の風景画に刺激され、伝統的な遠近法とは異なる技法による絵画形式を成立させた。

Q55 下線部②に分類される絵画のうち、下図のような主題はなんと呼ばれますか。

① スティルレーフェン　　② トロンプ・ルイユ

③ ナチュール・モルト　　④ ヴァニタス

Q56 下図の作品は《画家のアトリエ》と、もう1つ別のタイトルで呼ばれています。それはどれですか。

①《画家とモデル》　　②《絵画の寓意》

③《恋人たち》　　④《地図のかかった室内》

▶ Q55

▶ Q56

正解

Q53 ③　　Q54 ②　　Q55 ④　　Q56 ②

tag

〈年代〉17〜18世紀

〈時代背景〉ネーデルラント共和国の成立、市民社会の形成、重商主義、東インド会社・植民地政策、市場経済の発展、プロテスタンティズム、市民層パトロンの出現、ライデン大学

〈文化的特徴〉バロック美術／北方ルネサンス、イタリア・ルネサンス／油彩画の劇的表現、光と影の効果、カメラ・オブスクーラによる構図、絵画ジャンルの細分化・専門化、静物画、ヴァニタス画、風俗画、風景画、アレゴリー、人間ドラマの内包

解説

安価なエネルギー供給による製材所の発明や東インド会社による植民地政策など、さまざまな条件がそろい、17世紀のオランダは強い経済基盤を持つに至りました。その経済を支えたのが都市の商人階級の市民たちです。芸術も市民たちのためのものとなり、美術作品は一般家庭に普及していきました。それにともない、絵画作品は安価でサイズの小さなものが主流となり、画題も市民の家の居間や食卓を飾る明快で現実的な風景画や静物画などが好まれたのです。

静物画の中でも、Q55のような人生や命、この世のはかなさを象徴するヴァニタス画は、オランダのカルヴィニスムの影響で生まれたジャンルとされています。

掲載したフェルメールの室内画では、月桂冠を被り右手にトランペット、左手に書物を持つ女性は、『イコノロギア（イコノロジア）』(p.33参照)の記述との一致から、歴史の女神クリオに扮しているとされています。この作品は絵画（当時最上位とされた歴史画）礼賛の寓意が込められていると考えられています。

画集や美術館サイトで作品をチェック！

▶Q55
ピーテル・クラース
《ヴァニタス》

1625
油彩・板　29.5×43.5cm
フランス・ハルス美術館、ハールレム

▶Q56
ヨハネス・フェルメール
《絵画の寓意（画家のアトリエ）》

1666-68頃
油彩・キャンヴァス　120×100cm
ウィーン美術史美術館

以下の資料を読み、続く設問に答えてください。

[資料]

17世紀のフランスは、政治的にも文化的にも偉大な時代でした。美術においてはイタリア・バロックに影響を受けながら、理性的で知性と秩序を重んじる古典主義が花開きます。その過渡期には、「夜の画家」ラ・トゥール①や哲人画家プッサンらによって、フランス絵画の礎が築かれます。17世紀後半のルイ14世治世下には、絶対王政を象徴する美術行政のために王立絵画彫刻アカデミーが設立②されました。

Q57 下線部①と下図に関する説明として、ふさわしいものはどれですか。

① フランス画壇を牽引した画家だが、終生イタリアに居住していた。
② この画家は《いかさま師》《女占い師》などの風俗画も描いた。
③ 描かれたろうそくの光は、命のはかなさを象徴したものである。
④ 作品の主題は、庶民階級の現実的な日常生活である。

Q58 プッサン作《アルカディアの牧人たち》の画中にある墓碑銘は何語で書かれていますか。

① ラテン語　　　　　　② フランス語
③ ギリシア語　　　　　④ イタリア語

Q59 下図の作者はだれですか。

① ピーテル・パウル・ルーベンス　② ニコラ・プッサン
③ ル・ナン兄弟　　　　　　　　　④ クロード・ロラン

Q60 下線部②の王立絵画彫刻アカデミーの設立運営に関わった芸術家はだれですか。

① シャルル・ル・ブラン　　　② ジュール・アルドゥアン＝マンサール
③ アンドレ・ル・ノートル　　④ ジョルジュ・ド・ラ・トゥール

▶Q57

▶Q59

正解

| Q57 ② | Q58 ① | Q59 ④ | Q60 ① |

tag

〈年代〉17〜18世紀初頭

〈時代背景〉絶対王政、重商主義、合理主義哲学、美術・彫刻アカデミーの設立

〈文化的特徴〉バロック美術／イタリア・ルネサンス、イタリア・バロック美術／劇的
表現、光と影の効果、空間・時間の無限性、イリュージョニスム、古典主義建
築、古典主義絵画、合理性・秩序の追求

解説

アンリ4世とその王妃の治世下の宮廷画家たちの作品には、イタリア・バロックの影響が色濃く表れています。この頃、パリと並ぶフランスの経済と文化の要衝だったロレーヌ地方では、マニエリスムの影響を受けた画家たちが活動していました。その土壌に現れたのがラ・トゥールです。晩年の瞑想的で厳粛な作風から「夜の画家」と呼ばれますが、オランダ絵画の影響を受けたと考えられる簡潔な構成とリズミカルで豊かな色彩の風俗画も残しています。一方、プッサンやクロード・ロランは生涯の多くをイタリアで過ごした画家です。前者は、絵画は哲学的であるべきという持論から、教養のある人々のみが読み解ける知的で秩序を重んじた古典主義的な絵画を確立させました。画中のラテン語はその象徴です。後者は、理想化されたイタリアの風景を古典的な物語に重ねて叙情性豊かに描き、のちのイギリス風景画に大きな影響を与えます。このような過渡期を経て、ルイ14世の親政下には中央集権国家の象徴として、美術も政治に組み込まれていきました。

画集や
美術館サイトで
作品をチェック！

▶Q57
ジョルジュ・ド・ラ・トゥール
《大工の聖ヨセフ》
1640頃
油彩・キャンヴァス　137×102cm
ルーヴル美術館、パリ

▶Q59
クロード・ロラン
《アイネイアスのいるデロス島の海辺》
1672
油彩・キャンヴァス　99.6×134.3cm
ナショナル・ギャラリー、ロンドン

07 ロココ美術

以下の資料を読み、続く設問に答えてください。

［資料］

18世紀の初頭からフランス革命の頃まで、フランスを中心とした欧州美術は総称してロココと呼ばれます。フランスでは、ルイ14世時代の国家美術主義から開放されたような優美さと洗練、装飾性を極めたスタイルが流行しました。一方で、北方絵画を学び、市民の日常を主題とした画家も現れます。この時期には室内装飾が円熟期を迎え、ヴェルサイユやパリにロココ様式の装飾を持つ建築が建てられました。

Q61 以下のロココ絵画と作者の組み合わせのうち、正しいものはどれですか。

① 《ヴィーナスの勝利》― フラゴナール　　② 《コロッセウム》― グルーズ

③ 《シテール島の巡礼》― ヴァトー　　④ 《食前の祈り》― ブーシェ

Q62 下図を描いた画家についての説明として、ふさわしいものはどれですか。

① 生涯のほとんどをパリから離れず、台所の什器類や中産階級の日常的な主題を、厳しい造形性と豊かな詩情で描き出した。

② 「フェート・ギャラント」というジャンルを、サロンに生み出した。

③ 宮殿などの装飾からタピストリー用の原画、セーヴル陶器のデザインまで、多様な分野で才能を発揮し「万能の職人」と呼ばれた。

④ 時代の趣味に応え、パステル画の即興性と精緻さで、肖像画の新境地を拓いた。

Q63 下線部のうち、パリにある、現在はフランス歴史博物館となっているのはどの建物ですか。

① プティ・トリアノン　　② リュクサンブール宮殿

③ サンスーシ宮殿　　④ オテル・ド・スービーズ

Q64 シャルダンやブーシェに師事したのちにイタリア留学し、帰国後はロマン派や印象派を予感させるタッチで《逢引き》や《ぶらんこ》などを描いた画家はだれですか。

① ジャン＝バティスト・グルーズ

② ユベール・ロベール

③ ジャン＝オノレ・フラゴナール

④ シャルル・ナトワール

▶ Q62

正解

Q61 ③　　Q62 ①　　Q63 ④　　Q64 ③

tag

〈年代〉18世紀

〈時代背景〉絶対王政の崩壊、市民革命、産業革命、ブルジョワの台頭、啓蒙思想、百科全書、サロン文化、理工科学校設立、イタリア旅行の流行

〈文化的特徴〉ロココ美術／イタリア・ルネサンス、イタリア・バロック美術／曲線的装飾をともなう小規模建築、風景式庭園、雅宴画（フェート・ギャラント）、優雅で貴族的な絵画表現、風俗画、パステル技法

解説

フランスは啓蒙思想を背景に、サロン文化が花開きます。ヴァトーは、明るい色彩と優雅で軽やかな作風でロココの絵画スタイルを決定づけました。《シテール島の巡礼》は、彼が「雅宴画（フェート・ギャラント）の画家」としてアカデミー入会を認められた作品です。なお、Q62の③はヴァトーの後に頭角を現したブーシェ、④はモーリス・カンタン・ド・ラ・トゥールです。①のシャルダンは、調和の取れた色彩と柔らかな光の表現、写実描写によってロココ美術の華やかさとは一線を画した風俗画を描きました。Q64で問われたのは、18世紀後半にロココの終焉を飾った1人、フラゴナールです。雅宴画の系譜の最後に位置づけられる画家ですが、ロマン派や印象派を予感させる、軽妙で下描き風のタッチが特徴です。もともと装飾の様式に由来するロココは、その名の通り、室内装飾など建築にも見られます。とくにパリのオテル・ド・スービーズの楕円の間は、壁から天井にかけて曲面で構成され植物などをモチーフにした金色の縁取りがあしらわれた優美なものです。

画集や
美術館サイトで
作品をチェック！

▶Q62
ジャン＝バティスト・シメオン・シャルダン
《市場帰り》

1739
油彩・キャンヴァス　47×38cm
ルーヴル美術館、パリ

以下の資料を読み、続く設問に答えてください。

［資料］

ロココ時代の絵画では、イタリアやイギリス、スペインの画家たちも忘れてはなりません。ティエーポロは
ヴェネツィア派最後の巨匠と呼ばれ、諸外国で天井画や絵画を多く手がけました。また、イタリア旅行の
流行で記念絵画のニーズが起こり、<u>実景を描写した都市景観画①</u>が興隆します。イギリスではロイヤル・
アカデミーが創立され、<u>肖像画②</u>や風俗画などに独自の絵画が育ち始めました。スペインでは近代絵画
の眼を持ったゴヤが登場します。

Q 65 下線部①のような都市景観画の影響から地誌的な都市図を描いた、イタリアの画家は
だれですか。

① カナレット　　　　　　　　　② ジョヴァンニ・バッティスタ・ピラネージ
③ ピエトロ・ロンギ　　　　　　④ ジョヴァンニ・バッティスタ・ティエーポロ

Q 66 ロイヤル・アカデミーの創立会員であり、下線部②の代表的な画家ながら、コンスタブル
らのちの風景画家に影響を与えたのはだれですか。

① ジョシュア・レノルズ　　　　② ウィリアム・ホガース
③ ウィリアム・ブレイク　　　　④ トマス・ゲインズバラ

Q 67 下図は連作油彩画の1点ですが、このように風刺に富んだ、庶民の現実的な人生ドラマ
を描いたイギリスの画家はだれですか。

① ヨハン・ハインリッヒ・フュースリ　② ジェームズ・ギルレイ
③ ウィリアム・ホガース　　　　　　④ ウィリアム・ブレイク

Q 68 19世紀の異端審問で物議を醸したゴヤの作品はどれですか。

①《我が子を食うサトゥルヌス》　②《マドリード、1808年5月2日》
③《裸のマハ》　　　　　　　　　④《理性の眠りは怪物を生む》

▶ Q67

正解

Q65 ①	Q66 ④	Q67 ③	Q68 ③

tag

〈年代〉18世紀

〈時代背景〉絶対王政の崩壊、市民革命、産業革命、市民社会の成立、啓蒙思想、英国王立芸術アカデミーの設立、サロン文化、イタリア旅行の流行

〈文化的特徴〉ロココ美術／イタリア・ルネサンス、バロック美術／肖像画、風景画の発展、風俗画の流行

解説

ロココ時代のイタリアには、ヨーロッパの富裕層の子弟がグランド・ツアーに訪れます。そこで注目されたのが実景描写の都市景観画でした。これに影響を受けたカナレットは、地誌的かつ光や雰囲気をとらえた風景画でヴェネツィアの姿を再現します。同様に風景を表現したピラネージは、その個性的な版画により新古典主義の波を生みました。一方、市民階級が台頭したイギリスは、もともと絵画の伝統がなく、前世紀はヴァン・ダイクのような外国人画家たちが活躍しました。しかし、旅先で入手した都市景観画の流入、肖像画や物語的な風俗画の流行から、次第に独自の絵画が育ちます。そして、この時期のスペインで注目すべきはゴヤです。ゴヤは初期にロココ風の作風が認められ宮廷画家になりますが、注文制作だけでなく、社会批判や挑発を含むテーマにも取り組みます。《裸のマハ》は厳格なカトリック国でほぼ描かれなかった人間の女性の裸婦像でした。また、独立戦争を機に描かれた作品や晩年の作品に現れた内面性の表出などに、近代美術の萌芽が見られます。

画集や美術館サイトで作品をチェック！

▶ Q67
ウィリアム・ホガース
《当世風の結婚：6 伯爵夫人の死》

1743頃
油彩・キャンヴァス 69.9×90.8cm
ナショナル・ギャラリー、ロンドン

08 近代美術1（新古典主義・ロマン主義）

以下の資料を読み、続く設問に答えてください。

［資料］

革命後のフランスは、社会構造が大きく変革します。美術の世界でも、古代ギリシアやローマ美術を規範とした動きが起こりました。その先鋒が（A）でした。彼はフランス革命中から美術アカデミーの改組にもあたります。その弟子（B）は、19世紀の半ば過ぎまでフランスのアカデミズムの指導者として、ロマン派にも対抗しました。また、（A）は革命後にナポレオン1世の宮廷画家となり、英雄的行動を讃える作品も残しています。

Q69 17世紀の王立美術彫刻アカデミーが定めた絵画ジャンルのヒエラルキーとして、左から高い順に正しく並べたものはどれですか。

① 肖像画、風景画、風俗画、静物画、歴史画
② 風景画、風俗画、静物画、歴史画、肖像画
③ 歴史画、肖像画、風俗画、風景画、静物画
④ 静物画、風俗画、風景画、肖像画、歴史画

Q70 文中の（A）に該当する画家はだれですか。

① ジャック＝ルイ・ダヴィッド
② アントワーヌ＝ジャン・グロ
③ ジャン＝オーギュスト＝ドミニック・アングル
④ ピエール＝ポール・プリュードン

Q71 文中の（B）に該当する画家はだれですか。

① アントワーヌ＝ジャン・グロ
② ウジェーヌ・ドラクロワ
③ フランソワ・ジェラール
④ ジャン＝オーギュスト＝ドミニック・アングル

Q72 ナポレオン1世が描かせた、サイズの一番大きな作品はどれですか。

①《ソクラテスの死》
②《皇帝ナポレオン1世と皇妃ジョゼフィーヌの戴冠式》
③《アイラウ戦場のナポレオン》
④《ベルナール峠を越えるナポレオン》

正解

| Q69 ③ | Q70 ① | Q71 ④ | Q72 ② |

tag

〈年代〉18世紀

〈時代背景〉フランス革命、共和制、産業革命、社会構造の変革、ブルジョワの台頭、啓蒙思想、近代美術館の成立、古代主義、美術アカデミーの改組、芸術家の政治的活動

〈文化的特徴〉新古典主義／古代ギリシア・ローマ美術／ヴィンケルマン『ギリシア美術模倣論』、古典的主題、壮大な形式性・デッサンと安定した画面構成の重視の絵画、新古典主義彫刻、工芸品による新古典主義様式の一般化

解説

美術における近代は、それまで規範とされていたことが覆されていくプロセスでもあります。Q69では、フランスの美術アカデミーで定められていた絵画のヒエラルキーを確認しました。ナポレオン1世が自分の行為を大画面に描かせたのも、同時代の歴史画と示すねらいと考えられています。また、のちのクールベや印象派の動きには、このヒエラルキーが前提にありました。そのアカデミーは創設以来、フランスの美術行政と教育を一手に握っていた存在です。ダヴィッドによる改組で、美術教育機関が分離し、1816年の官立美術学校（エコール・デ・ボザール）として発足します。ここでの教育の理想は古典主義であり、革命前の美術アカデミーの芸術観が踏襲されました。しかし、ダヴィッドはナポレオン1世の失脚とともに亡命を余儀なくされ、25年にベルギーで客死します。一方、24年のサロンを機にロマン主義が台頭していきました。この動きにアカデミー側の対抗し得る画家として代表に迎えられたのが、イタリアから帰国したアングルです。同年のサロンでラファエロ風の作品《ルイ13世の誓い》を出品しました。

問題
Questions

以下の資料を読み、続く設問に答えてください。

［資料］
フランスでのロマン主義の流行は、王政復古によるキリスト教的、王党的な社会風潮も背後にありました。文学や芸術が、啓蒙思想やギリシア・ローマの古典主義ではなく、中世の民族的な伝統に、人々の関心を向けるきっかけの1つとなったのです。絵画の特徴としては、色彩を重視し、激しい動きや感情の表出が挙げられます。また、当時、ナポレオンの遠征やギリシア独立運動により東方世界への関心が高まり、影響された画家も多く現れました。

Q73 下図に見られる、ロマン派の特徴としてふさわしいものはどれですか。

① 色彩よりも線の美しさが重視され、水平と垂直を強調した明快な構図で、古典的な題材を描いている。
② 対角構図にまとめられたオリエンタルな主題を、輝くような色彩と粗めのタッチで動感豊かに描いている。
③ 中世の騎士物語を題材にした回帰な幻想を、人物のポーズに動感を与えながら描ききっている。
④ 現実に起きた悲劇的な事件を取材し、対角構図と豊かな色彩に激しい動きと感情を載せて描いている。

Q74 下図はのちに連続写真によって馬の脚の状態が現実と違うと物議を醸しますが、科学的真理と芸術的真理との区別からジェリコーを評価した彫刻家はだれですか。

① オーギュスト・ロダン　　　② アントニオ・カノーヴァ
③ フランソワ・リュード　　　④ ジャン＝バティスト・カルポー

Q75 1824年のサロンで、アングルと対抗する様式を打ち出した、ドラクロワの作品はどれですか。

①《民衆を導く自由の女神》　　②《サルダナパールの死》
③《キオス島の虐殺》　　　　　④《アルジェの女たち》

Q76 下線部について、西欧から見た異文化への代表的な視点をなんと呼びますか。

① ジャポニスム　　　　　　　② オリエンタリズム
③ シノワズリー　　　　　　　④ オクシデンタリズム

▶ Q73

▶ Q74

正解

| Q73 ④ | Q74 ① | Q75 ③ | Q76 ② |

tag

〈年代〉18世紀

〈時代背景〉フランス革命、共和制、産業革命、社会構造の変革、ブルジョワの台頭、啓蒙思想、観念論、ロマン主義運動、芸術家の政治的活動

〈文化的特徴〉ロマン主義／イタリア・ルネサンス、新古典主義／壮大な形式性、色彩重視・動感あふれる描写の絵画、内面性の表出、オリエンタリズム

解説

フランス・ロマン主義の先陣を切ったのがジェリコーの《メデューズ号の筏》でした。この作品は1819年のサロンに出品され、ルーベンス的な表現と、自然に挑む人間の生存への戦いをテーマにした新しい絵画の動向を見せました。さらに、死体の描写では写実主義に通じる現実性も示した作品といわれています。そのジェリコーは馬をモチーフに多くの作品を描いています。しかし、19世紀後半にマイブリッジの連続写真によって、現実の馬の脚の動きとジェリコーが描いた動きとの違いが判明し、物議を醸しました。

早逝したジェリコーに代わり、フランスのロマン主義を開花させたドラクロワは、22年にサロンで初入選します。24年以降半世紀にわたり、アングルとフランス絵画界を二分することになりました。一方で、イギリスとモロッコへの旅行でシェイクスピアやバイロンなどの文学作品に感化され、オリエントの色彩と風物に感銘し、帰国後の作品にはその影響が見られるようになりました。

画集や
美術館サイトで
作品をチェック！

▶Q73
ジャン＝ルイ・テオドール・ジェリコー
《メデューズ号の筏》

1816
油彩・キャンヴァス　491×716cm
ルーヴル美術館、パリ

▶Q74
ジャン＝ルイ・テオドール・ジェリコー
《エプソムのダービー》

1821
油彩・キャンヴァス　92×122.5cm
ルーヴル美術館、パリ

以下の資料を読み、続く設問に答えてください。

[資料]

18世紀末にヨーロッパ各地で起きたロマン主義の動向は、文学や音楽、演劇など多様な分野に影響を与えました。絵画においては、その理論的な基盤となったのはイギリスの哲学者バークの著書です。イギリスでは、フュースリやブレイクがロマン主義の幻想的な側面を、ターナーやコンスタブルは自然への関心を追求しました。ドイツのフリードリヒは広大な自然の中に宗教的な感情を表そうと試みました。

Q77 下線部が示す、エドマンド・バークの著書はどれですか。

① 『古代美術模倣論』 ② 『ラオコーン』
③ 『崇高と美の観念の起源』 ④ 『判断力批判』

Q78 故郷の穀倉地帯やロンドンの風景を描き続け、自然を忠実にとらえようとしたイギリス人画家はだれですか。

① リチャード・パークス・ボニントン
② ジョン・コンスタブル
③ ウィリアム・ブレイク
④ ジョゼフ・マロード・ウィリアム・ターナー

Q79 下図の作者はだれですか。

① オットー・ルンゲ ② ヨハン・フリードリヒ・オーヴァーベック
③ フランツ・プフォル ④ カスパー・ダーヴィト・フリードリヒ

Q80 Q79の画家はおもにどの都市で活躍しましたか。

① コペンハーゲン ② ドレスデン
③ ミュンヘン ④ ベルリン

▶ Q79

正解

| Q77 ③ | Q78 ② | Q79 ④ | Q80 ② |

tag

〈年代〉18世紀

〈時代背景〉産業革命、社会構造の変革、ブルジョワの台頭、観念論、古典主義
文学、ロマン主義文学、自然主義

〈文化的特徴〉ロマン主義／バロック美術／新しい風景画の確立、崇高の理念、
幻想的な描写、感情の描写、自然主義、写実性、宗教性、中世への回帰

解説

バークは1757年に著した著書で、広大なものや茫漠としたもの、恐怖を起こすもの、超人的なものに接したときに引き起こされる感情を「崇高」としました。この美的範疇の影響を受け、荒々しい天候に襲われる風景や険しい山並みなどが描かれるようになります。イギリスの風景画家コンスタブルは、自然を忠実に描こうとしますが、その内容は理想郷とも受け取れます。また、粗めのタッチゆえに本国では評価されませんでした。しかし、パリのサロンに出品した《乾草車》は、ドラクロワにショックを与え、バルビゾン派や印象派にも影響を及ぼしたといわれています。ドイツのフリードリヒとルンゲは、コペンハーゲンの美術アカデミーで学び、ドレスデンで制作活動を展開します。当時のドレスデンは、ベルリン、ハイデルベルグ、イエナと並ぶロマン主義文学、芸術、音楽の中心地でした。掲出作品は祭壇画ですが、伝統的なキリスト教の人物画構成によらず、宗教的な感情を風景画として象徴的に表現しようとしました。フリードリヒの宗教性は、圧倒的な自然の力を目のあたりにしたときの深い感情と結びついているのです。

画集や
美術館サイトで
作品をチェック！

▶Q79
カスパー・ダーヴィト・フリードリヒ
《山上の十字架》
1807/08
油彩・キャンヴァス　115×110.5cm
ドレスデン国立美術館

09 近代美術2（写実主義・印象主義・ポスト印象主義）

以下の資料を読み、続く設問に答えてください。

［資料］

19世紀のフランスは産業革命やフランス革命を経験し、市民社会の成立や民族意識の高揚、急速な工業化、近代都市の誕生と、社会システムの大変革がもたらされました。その中で芸術家たちの主要な舞台であるサロンは、伝統的な規範を維持していました。しかし、芸術家たちの中には社会変化を反映した視座から、写実主義や印象主義など、新しい表現に挑戦する層も現れました。

Q81 下線部には、写生をもとにしたバルビゾン派のような風景画も含みます。このような風景画を購入したのは、おもにどのような人たちですか。

① 地方から移住した都市生活者　　② 皇帝と王族

③ モデルとなった農民　　④ サロンの画家

Q82 19世紀フランスの写実主義を述べたものとして、最もふさわしいものはどれですか。

① 現実の対象を、だまし絵のごとく本物そっくりに描くことを目指した。

② 同時代に起きた事件などを題材とし、鑑賞者の気持ちをその世界に引き込む大胆な表現を試みた。

③ 社会の現実的な問題を直視し、貧しい労働者の悲惨な生活を描く、また高慢な支配者層の戯画化などをした。

④ 享楽主義的なロココ美術に対する批判から、古代ギリシアやローマ美術を規範とした。

Q83 バティニョール街のアトリエにのちの印象派の画家たちが集まったのは、だれのアトリエがあったからですか。

① ラファエル・コラン　　② エドゥアール・マネ

③ ギュスターヴ・モロー　　④ シャルル・グレール

Q84 右図は当時の現代性を象徴する作品ですが、ルネサンス以来の古典的な伝統と近代絵画をつなぐ1枚でもあります。同作にみる古典的な伝統としてふさわしいものはどれですか。

① 平面的な構図と描写

② オリエンタルな調度の描写

③ 鑑賞者をみる女性の視線

④ 横たわるヴィーナス像の形式

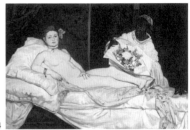

▶Q84

正解

| Q81 ① | Q82 ③ | Q83 ② | Q84 ④ |

tag

〈年代〉19世紀

〈時代背景〉産業革命、社会構造の変革、ブルジョワの台頭、万国博覧会、鉄・ガラス・コンクリートの建築、レアリスム・自然主義・象徴主義文学

〈文化的特徴〉写実主義、印象主義／新古典主義、ロマン主義、自然主義／風景画、大衆の日常、社会批判、市民擁護、同時代のライフスタイル、ジャポニスム、アカデミー批判、サロン絵画、個展の創始、チューブ絵具の発明

解説

ここでは、サロンの評価を新古典主義とロマン主義が二分していた時期に、並行して起きていた動向にふれています。革命後のフランスは社会構造が大きく変わり、パリは地方からやってきた新興階級、農村からの労働者たちで人口が急増しました。バルビゾン派の画家たちが描いた明快な風景画は、とくに都市の新興階級の人々から、都市生活の癒やしとして求められるようになったのです。また、社会が変わりゆく中、社会の現実に目を向ける芸術家たちも現れました。貧しい労働者や農民のリアルな日常を主題に、歴史画を頂点とするアカデミーの伝統に挑戦したのはクールベやミレーら写実主義の画家たちです。彼らの表現は、近代絵画の出発点の1つともいわれています。また、アカデミーが重視した古典的な遠近法やヌードの主題に挑戦状をつきつけたのがマネでした。1878年のパリ万国博覧会でジャポニスムの熱狂は最高潮に達しますが、マネや印象主義の画家たちは、それ以前から浮世絵などの平面的な構図と豊かな色彩に大きな影響を受けていたであろうことが、作品を通じてわかります。マネの《オランピア》は、ジョルジョーネやティツィアーノが描いた横たわるヴィーナス像の形式を踏襲しながら、まったく新しい視点で現実の女性の裸婦像を描写したものでした。

画集や
美術館サイトで
作品をチェック！

▶Q84
エドゥアール・マネ
《**オランピア**》

1863
油彩・キャンヴァス　130×190cm
オルセー美術館、パリ

以下の資料を読み、続く設問に答えてください。

［資料］

19世紀フランス美術の<u>写実主義を代表する画家クールベ</u>①は、美術史上、初めての個展を開きました。クールベの精神はマネや印象主義の画家たちにも引き継がれます。同じく写実主義の画家（A）は、都市の労働者階級の人々の暮らしを描写しました。一方、バルビゾン派の1人として知られるミレーも、<u>写実主義の画家として挙げられます</u>②。

Q85 下線部①について、クールベが代表的な画家と見られる根拠は、どこにあると考えられていますか。

① 美術界で初の個展を開催したため
② 生涯、社会批判的な主題を描いたため
③「レアリスム宣言」を行ったため
④ 農民画を得意としていたため

Q86 クールベが個展を開くきっかけとなったのはどの展覧会ですか。

① 1850〜51年のサロン
② 1855年のパリ万国博覧会美術展
③ 1865年のサロン
④ 1867年のパリ万国博覧会美術展

Q87 下図を描いた、（A）にあてはまる画家はだれですか。

① オノレ・ドーミエ　　　② アドルフ・フォン・メンツェル
③ J.J.グランヴィル　　　④ アドルフ・ルルー

Q88 下線部②のように考えられたのは、ミレーの作品が世間にどう解釈されたからですか。次のうち、ふさわしいものはどれでしょう。

① 理想的な田園風景を描いたもの
② 社会的な抗議を込めたもの
③ 新しいライフスタイルを描いたもの
④ 民衆の軽挙への警告

▶ Q87

正解

Q85 ③   Q86 ②   Q87 ①   Q88 ②

tag

〈年代〉19世紀後半

〈時代背景〉産業革命、社会構造の変革、市民蜂起、ブルジョワの台頭、万国博覧会、鉄・ガラス・コンクリートの建築、レアリスム・自然主義・象徴主義文学

〈文化的特徴〉写実主義、印象主義／新古典主義、ロマン主義、自然主義／風景、大衆の日常、社会批判、市民擁護、アカデミー批判、サロン絵画、個展の創始

解説

1850〜51年のサロンは、社会的なテーマを扱った作品が注目されました。その出品作家に、クールベやドーミエ、ジャン＝フランソワ・ミレーもいました。

クールベは、1855年に個展を開き、そこで「レアリスム宣言」をします。この宣言から写実主義画派の代表と見られるようになりました。この個展は、同年に開催されたパリ万国博覧会の美術展に送った14作品のうち、《オルナンの埋葬》《画家のアトリエ》を含む3点が拒否されたことに起因します。彼は自らの芸術を世に問うべく、40点からなる個展を、価値があるものにふさわしく入場料も設定して開催しました。このように「個展」の始まりは、権威に対する公衆を頼みとした自己表明でした。ドーミエは風刺画家でしたが、多くの石版画も残しています。二月革命（1848）後は、庶民の日常生活を題材に、人物の鋭い性格描写と明暗の対照が特徴的な油彩や水彩の連作を描きました。ミレーは30年以降のバルビゾン派の中心的な画家でもありますが、かつての宗教画や歴史画のように、農民を英雄的に描きました。そこに政治的な意図はなかったといわれています。

画集や美術館サイトで作品をチェック！

▶ Q87
オノレ・ドーミエ
《洗濯女》

1863頃
油彩・板　49×33.4cm
オルセー美術館、パリ

以下の資料を読み、続く設問に答えてください。

［資料］

1863年のサロンは、アカデミーの基準が厳しく適用され、多数の落選者が出たため、画家たちから審査に関する不満の声が上がりました。その声を反映したナポレオン3世は同年、「落選展」①を開催します。この展覧会は、サロン以外に初めて画家に発表の機会が設けられた点で、美術制度の上から重要な意味を持ちました。この頃から、新しい表現を目指すマネの周囲に若い画家たちが集まり始めます。彼らがのちに「印象派展」②を開催します。

Q89 下線部①の「落選展」は資料の内容以外に、おもにどんな理由で美術史上、注目されますか。

① 同年に発令された官立美術学校の改革の原因となったため。

② この展覧会によりバティニョール派が形成されたため。

③ エミール・ゾラが小説のエピソードに取り込んだため。

④ マネが《草上の昼食》を出品したため。

Q90 下線部②について、初回から最後まで出品し続けた唯一の画家はだれですか。

① アルフレッド・シスレー

② クロード・モネ

③ カミーユ・ピサロ

④ エドガー・ドガ

Q91 アメリカで印象主義が注目されるきっかけを作った画家はだれですか。

① メアリー・カサット

② ギュスターヴ・カイユボット

③ ベルト・モリゾ

④ ジェームズ・アボット・マクニール・ホイッスラー

Q92 下図はある絵画動向を生んだきっかけの1つになったといわれています。その動向とはどれですか。

① フォーヴィスム絵画

② 具象絵画

③ キュビスム絵画

④ 抽象絵画

▶ Q92

正解

| Q89 ④ | Q90 ③ | Q91 ① | Q92 ④ |

tag

〈年代〉19世紀後半

〈時代背景〉産業革命、社会構造の変革、ブルジョワの台頭、万国博覧会、パリ大改造、鉄道の延伸、鉄・ガラス・コンクリートの建築、レアリスム・自然主義・象徴主義文学、近代都市でのライフスタイル変化、カメラの発明と発展

〈文化的特徴〉印象主義、ポスト印象主義／新古典主義、ロマン主義、自然主義、写実主義／光の描写、筆触分割、同時代のライフスタイル、風景、主題の変化、ジャポニスム、アカデミー批判、画材の発達

解説

1863年に開催された「落選展」は、サロンに対する反発や不満がきっかけとなって組織されたもので、非常に反響を呼び近代美術史の指標ともなっています。同時にサロンの存在や審査制度に疑問を投げかけるものとなりました。

この「落選展」に《草上の昼食》を出品してスキャンダルを巻き起こし、話題を呼んだのがマネでした。マネは59年からサロンに挑戦し始め、以来サロンからの評価を重視した画家でした。マネのアトリエには、60年代半ばからモネやバジールら若い画家たちが集まりますが、マネは彼らが組織した「印象派展」への出品は1度もしませんでした。

「印象派展」の中心的な画家の1人だったカミーユ・ピサロは、仲間たちが分裂していく中、最後まで印象派展への出品を続けます。また、晩年まで光や大気、天候、季節の一瞬の表情や変化を追い求めた、印象派らしい画家でした。ドガの紹介で印象派展に出品するようになったカサットは、アメリカ出身の女性画家です。帰国後には印象派の画家たちを母国に紹介する架け橋となりました。

印象派の画家たちの表現や技法、態度は、後世の芸術家に大きな影響を与えます。例えば、カンディンスキーは初めて《積み藁》をみたときに、色彩で人を感動させる可能性を確信し、抽象絵画への道に至る1つの機会になったといわれています。

画集や美術館サイトで作品をチェック!

▶Q92
クロード・モネ
《ジヴェルニー付近の夕陽を浴びる積み藁》

1891
油彩・キャンヴァス　73.3×92.7cm
ボストン美術館

以下の資料を読み、続く設問に答えてください。

［資料］

1886年の第8回展を最後に終了した「印象派展」は、20世紀の絵画表現につながる新しい動向を予兆させる画家たちの、作品発表や研究の機会にもなりました。ポスト印象主義の画家と呼ばれる、セザンヌ、ゴーガン、ゴッホは、印象派の画家たちの成果を受け入れながら、それを越えようと努めました。また、そうした新しい動向の1つに、印象派の色彩技法を科学的に推し進めようとした（A）もありました。

Q93　下図は下線部の一例ですが、下図に関して、ふさわしい指摘をした文章はどれですか。

① 2人の人物の鼻先は、画面の横の長さを3等分する2点に位置する。
② 向かって左の人物の持つカードから2人の鼻先までの距離が等しい。
③ 手前に描かれた2人の肘の曲がり角は、画面下端から縦の長さ4分の1の距離にある。
④ 向かって右の人物の持つカードが、画面四隅を結ぶ2本の対角線の交点に位置する。

Q94　下図はゴッホが自殺を図る直前の1890年7月に描いたものですが、タイトルはなんですか。

① 《星月夜》　　　　　　　② 《糸杉と星の見える道》
③ 《烏の群れ飛ぶ麦畑》　　④ 《収穫》

Q95　ゴーガンに影響を受けた画家で、妻をモデルに水浴図を多く描いたフランス人はだれですか。

① モーリス・ドニ　　　　　② エドゥアール・ヴュイヤール
③ フェリックス・ヴァロットン　④ ピエール・ボナール

Q96　ポール・シニャックの《フェリックス・フェネオンの肖像》は（A）の作例です。（A）に入る言葉として正しいものはどれですか。

① 印象主義　　　　　　　　② 新印象主義
③ 総合主義　　　　　　　　④ 象徴主義

▶ Q93

▶ Q94

1 西洋美術史

正解

Q93 ②　　Q94 ③　　Q95 ④　　Q96 ②

tag

〈年代〉19世紀後半

〈時代背景〉産業革命、社会構造の変革、ブルジョワの台頭、万国博覧会、パリ大改造、鉄道の延伸、鉄・ガラス・コンクリートの建築、レアリスム・自然主義・象徴主義文学、生の哲学、近代都市でのライフスタイル変化、カメラの発明と発展

〈文化的特徴〉ポスト印象主義／ロマン主義、写実主義、印象主義、象徴主義／筆触分割、点描技法、同時代のライフスタイル、風景、主題の変化、サロンの変化、画材の発達

解説

セザンヌはピサロとの出会いから、自然を観察し冷静に画面を作ることを学び、自己の画風を見出しました。印象派展の第1回から参加した彼は、印象主義の形態感覚の欠如を嫌います。対象を形づくる本質的な構造を求め、自然を単純な形態に還元し、絵画を1つの構造物として提示しようとしました。こうした空間表現は、のちのキュビスムに継承されました。ゴッホは、激しい筆触とまばゆい色彩で、内面の感情を生々しく伝える作品から、20世紀初頭のフォーヴィスムの萌芽と見なすことができます。ゴーガンは、印象主義絵画の関心が外界に向かっていたのに対し、人間の感情を象徴的に表す方向を目指しました。また筆触分割で曖昧になった形態を取り戻すために、画面を平面で仕切る技法を採り入れています。これらはゴーガンに影響を受けたポン＝タヴェン派ら総合主義者たちの特徴です。色彩理論と印象派の色彩技術を科学的に分析し、点描技法を試みたのはジョルジュ・スーラで、その追随者の1人がシニャックでした。作品のモデルとなったフェネオンが、ベルギーの反保守的なグループ「20人会」の機関紙『ラール・モデルヌ』(1881年刊行)に掲載された論文で、初めて「新印象主義」という言葉を使い、彼らの表現を擁護しました。

画集や美術館サイトで作品をチェック！

▶ Q93
ポール・セザンヌ
《カード遊びをする人々》
1890-95頃
油彩・キャンヴァス　47×56.5cm
オルセー美術館、パリ

▶ Q94
フィンセント・ファン・ゴッホ
《烏の群れ飛ぶ麦畑》
1890
油彩・キャンヴァス　50.3×103cm
ゴッホ美術館、アムステルダム

10 近代美術3（象徴主義・世紀末美術）

以下の資料を読み、続く設問に答えてください。

［資料］

1848年にロンドンで結成されたラファエル前派は、初期は文学にも触発された、アカデミーの伝統に対抗する美術表現の運動でしたが、次第に家具や染色、陶器、壁紙などのデザインや制作にまで広がりました。この動向は、美術史の上で19世紀末にフランスで影響力を持った象徴主義の先駆けと位置づけられています。

Q 97 ラファエル前派に強い影響を与えた思想家はだれですか。

① カール・マルクス　　　② ジグムンド・フロイト

③ ジョン・ラスキン　　　④ ウォルター・ペイター

Q 98 ラファエル前派が下線部のように見なされる理由として、最もふさわしいものはどれですか。

① 活動がデザイン分野にまでおよぶこと。

② 芸術をブルジョワ的な価値観に迎合させること。

③ 懐古主義であること。

④ 反アカデミー、反実利主義の精神を持つこと。

Q 99 象徴主義の画家たちがよく描いたサロメやユディトは、何の象徴として表現されましたか。

① 幻想の女　　② 運命の女　　③ 悲劇の女　　④ 至上の美

Q100 1890年代後半に、右図の作者の芸術家グループが師と仰いだ画家はだれですか。

① シャヴァンヌ

② ギュスターヴ・モロー

③ ポール・ゴーガン

④ オディロン・ルドン

▶ Q100

正解

| Q97 ③ | Q98 ④ | Q99 ② | Q100 ④ |

tag

〈年代〉19世紀半ば～20世紀初頭

〈時代背景〉産業革命、社会構造の変革、ブルジョワの台頭、実利主義、実証主義、ベル・エポックの時代、ドイツ観念論哲学、生の哲学、神智学、唯美主義運動、レアリスム・自然主義・象徴主義文学、博物学、カメラの発明と発展

〈文化的特徴〉象徴主義、世紀末美術／ロマン主義、印象主義、ポスト印象主義／神話・中世的な主題、幻想的な表現、細密描写、デザイン・建築との相互影響、アカデミー批判

解説

1848年に結成されたラファエル前派は、ロセッティ、ミレイ、ホルマン・ハントら7名の若い芸術家が、当時のイギリスで主流だったヴィクトリア朝の芸術傾向に反抗して組織したものでした。ラファエロ以前の、中世や初期ルネサンスの敬虔で虚飾のない優雅さ、明澄な色彩を取り戻そうとしたのです。ラファエロの名は、ルネサンス以降のアカデミー的規範の代名詞として選ばれています。この動きを援護したのが、思想家のラスキンでした。彼は実証主義の時代にあって、自然の中に存在する美の1つ1つが神の業で、いかなる細部も神の叡智の現れと見なしていました。そのため、ラファエル前派のアカデミーの規範にとらわれない、対象を細部にわたり写実的に描く態度に共感しました。この動向は57年頃から、ロセッティに弟子入りしたバーン＝ジョーンズ、ウィリアム・モリスらが担うようになります。ラファエル前派の運動は、反アカデミー及び反実利主義だけでない複雑な同時代性も持ち合わせていましたが、象徴主義の先駆けとも見なされています。一方、フランスの象徴主義を担ったのはモローで、その門下にルドンもいました。ゴーガンが南方に去った後のナビ派の画家たちは、ルドンを師と仰ぎ、一緒に展覧会も開きました。

画集や
美術館サイトで
作品をチェック！

▶Q100
ポール・セリュジエ
《愛の森の風景（タリスマン）》

1888
油彩・キャンヴァス　27×21.5cm
オルセー美術館、パリ

以下の資料を読み、続く設問に答えてください。

[資料]

19世紀の象徴主義はフランスだけでなく、ヨーロッパ各地でも起こり、世紀末の芸術運動や20世紀の美術表現にも影響を与えました。ドイツではスイス出身のベックリーンがミュンヘン分離派の、ノルウェーのムンクはベルリン分離派の芸術家たちに大きな影響を及ぼしました。また、フランスと同時期に象徴主義の芸術家たちが「20人会」を発足させたベルギーでは、アンソールやクノップフが代表的な画家として挙げられます。

Q101 1880年代のドイツ象徴主義を代表する画家で、《死の島》を描いたのはだれですか。

① アンゼルム・フォイアーバッハ　② アルノルト・ベックリーン

③ ハンス・フォン・マレース　④ マックス・クリンガー

Q102 下線部に関し、ミュンヘン分離派のフランツ・フォン・シュトックは、1895年からミュンヘン美術アカデミーで教授となります。その教え子はだれですか。

① ワシリー・カンディンスキー

② エミール・ノルデ

③ エルンスト・ルートヴィヒ・キルヒナー

④ キース・ヴァン・ドンゲン

Q103 下図を描いた画家は、どの伝統を強く受け継いだと考えられていますか。

① 初期イタリア・ルネサンス

② 盛期イタリア・ルネサンス

③ 北方ルネサンス

④ マニエリスム

Q104 下図の作者はだれですか。

① フェルナン・クノップフ

② フェリシアン・ロプス

③ ジェームス・アンソール

④ ヴィルヘルム・ハンマースホイ

▶ Q103

▶ Q104

正解

| Q101 ② | Q102 ① | Q103 ③ | Q104 ① |

tag

〈年代〉19世紀半ば〜20世紀初頭

〈時代背景〉産業革命、社会構造の変革、ブルジョワの台頭、実利主義、実証主義、ドイツ観念論哲学、生の哲学、神智学、唯美主義運動、レアリスム・自然主義・象徴主義文学、博物学、カメラの発明と発展

〈文化的特徴〉象徴主義、世紀末美術／ロマン主義、印象主義、ポスト印象主義／神話・中世的な主題、幻想的な表現、細密描写、デザイン・建築との相互影響、アカデミー批判

解説

象徴主義は、狭義には19世紀後半の文学・美術の傾向を指します。科学技術万能の実利的なブルジョワ精神や、市民社会のポジティブな倫理観、芸術が万人に理解できるものとなる風潮を嫌悪した文学者や美術家による傾向です。彼らは自己の内面的な思想や精神の状態、夢の世界などを表現しようとしました。象徴主義はさまざまな場所で生まれ、主題や表現手法も多様です。フランスでは瞑想的な壁画を描いたシャヴァンヌや聖書や神話を題材に抽象的な主題を描いたモロー、版画で夢幻の世界を表現したルドンらに代表されます。ドイツでは鮮やかな色彩で神話や伝説に取材した作品や死や戦争を扱う寓話を描いたベックリーン、その追随者でファム・ファタル（運命の女）的な女性像を得意としたシュトゥック、ベートーヴェン像で知られるマックス・クリンガーが現れました。ベルギーでは、ボスやブリューゲル以来のユーモラスでグロテスクなイメージを継承したアンソール、やはりファム・ファタルとしての女性像で知られるクノップフなどがいます。クノップフは「20人会」を創立した1人です。

画集や美術館サイトで作品をチェック！

▶ Q103
ジェームス・アンソール
《仮面の中の自画像》

1899
油彩・キャンヴァス、117×82cm
メナード美術館、愛知

▶ Q104
フェルナン・クノップフ
《愛撫》

1896
油彩・キャンヴァス　50.5×151cm
ベルギー王立美術館、ブリュッセル

以下の資料を読み、続く設問に答えてください。

[資料]

ヨーロッパの世紀末には、象徴主義の影響を受けた「分離派」の運動がドイツ語圏で相次ぎます。1892年にシュトゥックらが伝統にとらわれない芸術表現を目指し、閉鎖的な美術組織のミュンヘン芸術家協会から分離し、自分たちで展覧会活動などに取り組みます。続いて、ウィーンやベルリンでも分離派が形成されました。各地の分離派は過去の様式にとらわれず、美術、デザイン、工芸、建築など総合芸術運動として展開しました。

Q105 下図を描いた画家がおもに活躍した都市はどこですか。

① ウィーン
② ベルリン
③ ミュンヘン
④ モスクワ

Q106 1899年に結成されたベルリン分離派の会長はだれですか。

① マックス・スレフォークト
② マックス・リーバーマン
③ グスタフ・クリムト
④ フランツ・フォン・シュトゥック

Q107 グラスゴー派を紹介し、ウィーン分離派の作家たちに多大な影響を与えた、ロンドンの美術工芸雑誌はなんですか。

①『イエローブック』
②『ステュディオ』
③『ユーゲント』
④『ヴェル・サクルム』

Q108 ドイツ分離派の活動とともにドイツで普及したアール・ヌーヴォー様式は、ドイツではなんという名称で展開しましたか。

① ヴェルクブント
② ザッハプラカート
③ ゼツェッション
④ ユーゲントシュティール

▶ Q105

正解

Q105 ①　　Q106 ②　　Q107 ②　　Q108 ④

tag

〈年代〉19世紀半ば〜20世紀初頭

〈時代背景〉産業革命、社会構造の変革、ブルジョワの台頭、実利主義、実証主義、ドイツ観念論哲学、生の哲学、神智学、唯美主義運動、レアリスム・自然主義・象徴主義文学、博物学、カメラの発明と発展

〈文化的特徴〉象徴主義、世紀末美術／ロマン主義、印象主義、ポスト印象主義／神話・中世的な主題、幻想的な表現、細密描写、デザイン・建築との相互影響、アカデミー批判

解説

分離派（ゼツェッション）は、19世紀末のドイツ語圏における芸術改革運動です。各地の保守化・形骸化した美術組織から分離し、伝統にとらわれない総合的な芸術表現を求めました。また、外国人作家を招待して展覧会を開催するなど、精力的に活動しました。シーレはウィーン分離派のクリムトの門下にあたり、優れたデッサン力で、エロティシズムと孤独さを併せ持った人物画を多く制作しました。興味の対象は画家自身にも向けられ、200点近い自画像が残されています。リーバーマンはスレフォークトとともにベルリン分離派の創設を先導した、ドイツ印象主義の画家です。印象派の画家たちに倣い、美術アカデミーから分離した画家独自の協会と展覧会をつくろうとしました。デザイン誌『ステュディオ』は、創刊号でビアズリーを紹介するなど美術とデザインをつなぎました。1897年には合理と非合理の入り混じったグラスゴー派を好意的に紹介し、それを媒介に、同派はウィーン分離派の芸術家たちから熱狂的に支持されました。このような動きと並行して、装飾様式のアール・ヌーヴォーも、ヨーロッパ各地で広まります。ドイツでは、分離派結成とともに創刊された芸術雑誌を通じて普及しました。なお、ユーゲントシュティールという言葉は、ミュンヘンで創刊された雑誌『ユーゲント』にちなんでいます。

画集や美術館サイトで作品をチェック！

▶Q105
エゴン・シーレ
《ほおずきの実のある自画像》
1912
油彩・グワッシュ・板　32.2×39.8cm
レオポルド美術館、ウィーン

69

以下の資料を読み、続く設問に答えてください。

[資料]

欧米では、19世紀後半から多様な表現が同時多発的に生まれていました。20世紀初頭から評価され始めた、フランスのアンリ・ルソーやアメリカのグランマ・モーゼスに代表される<u>ナイーヴ・アート</u>もその1つです。また、彫刻ではロダンのような個人的な内面を表出させる人間的な彫刻が注目されます。その一方で、帝国主義が拡大し、国威発揚を目的としたモニュメントとしての彫刻が各地で制作されました。

Q109　下線部の説明として、ふさわしいものはどれですか。

① 伝統的な絵画技法や規則を無視して描かれたが、20世紀前半の前衛芸術家たちに示唆を与えた。

② フランス中世の装飾や形態を画面に採り入れ、伝統文化の再生により抽象絵画に影響した。

③ 非西洋世界や先史・古代の美術に感化されたモチーフが、ロマン主義の芸術家たちに刺激を与えた。

④ 大衆と接点をなくしたモダン・アートに代わり、生活に根ざした民衆画の価値を再生させた。

Q110　ロダンの《地獄の門》は、本来はどの美術館のために制作されましたか。

① ルーヴル美術館　　　② プティ・パレ美術館

③ グラン・パレ美術館　　④ パリ装飾美術館

Q111　下図の作品を制作したのはだれですか。

① メダルド・ロッソ　　　② オーギュスト・ロダン

③ アリスティッド・マイヨール　④ エミール＝アントワーヌ・ブールデル

Q112　19世紀後半の「モニュメントの時代」を代表する彫刻家と作品の組み合わせのうち、正しいものはどれですか。

① ダルー ―《カレーの市民》

② バルトルディ ―《自由の女神》

③ カルポー ―《共和国の勝利》

④ クリンガー ―《ラ・マルセイエーズ》

▶Q111

正解

| Q109 ① | Q110 ④ | Q111 ④ | Q112 ② |

tag

〈年代〉19世紀半ば～20世紀初頭

〈時代背景〉帝国主義、工業化、近代化、国威発揚、実利主義、実証主義、モニュメントの時代、レアリスム・自然主義・象徴主義文学

〈文化的特徴〉ナイーヴ・アート、近代彫刻／ロマン主義、写実主義、印象主義、ポスト印象主義、象徴主義／内面の表出描写、台座の排除、アンデパンダン展、モニュメント彫刻

解説

19世紀後半から、アカデミーの規範から外れた多様な表現が現れます。20世紀初頭には、伝統的な美術教育や美術表現に関する技術訓練を受けずに制作された作品も、独創性などが注目されて芸術として価値づけられ、ナイーヴ・アートという範疇に収められました。ルソーはフランスの無審査展覧会、アンデパンダン展で見出された画家です。

印象派の画家たちと同世代のロダンは、19世紀後半の彫刻のアカデミズムを支配していた擬古典主義に反抗した彫刻家です。《地獄の門》は、パリ装飾美術館のために構想され、ダンテの『神曲』にインスピレーションを得たものでしたが、未完に終わりました。しかし、同作から複数の名作が生まれています。そのロダンに直接師事した彫刻家たちは、やがてその師を克服する道を歩むことになります。その1人、ブールデルは1893年から15年間ロダンの助手を務めました。彼はギリシアのアルカイック彫刻や盛期ゴシックの彫刻を研究し、そこからインスピレーションを得て、独自のモニュメンタルな作風を確立していきます。彫刻家たちが個人の表現を追求していく動きが高まるにつれ、国威発揚的な記念碑彫刻は終焉していきました。

画集や
美術館サイトで
作品をチェック！

▶ Q111
エミール＝アントワーヌ・ブールデル
《弓を引くヘラクレス》

1909（原型）
ブロンズ　高さ250×240×90cm
国立西洋美術館、東京

以下の資料を読み、続く設問に答えてください。

［資料］

19世紀の建築は、美術と同様に古典を参照した様式から始まりました。革新的だったのは、1851年の水晶宮（クリスタル・パレス）です。当時の新素材の鉄とガラスでできた建物は、内側の装飾もなく、のちの（A）を展開し、プレファブによる大量生産の先駆ともいえます。こうした中、世紀末には分離派やアール・ヌーヴォー様式の造形的な建築も登場しました。

Q113 下図のようなナポレオン1世の帝政下のフランスで流行した建築様式はなんと呼ばれますか。

① ビーダーマイヤー様式　　② アンピール様式

③ ゴシック・リヴァイヴァル　④ ネオ・ルネサンス

Q114 （A）に入る言葉として、適切なものはどれですか。

① アール・デコ様式　　② 表現主義

③ 機能主義　　　　　　④ 分離派様式

Q115 下図のワーグナーの建築は、何に使われた建物ですか。

① 銀行　　　② 市役所

③ 郵便局　　④ 劇場

Q116 ザクセン大公立美術学校校舎を設計し、その校長を務めたベルギーの建築家はだれですか。

① ペーター・ベーレンス　　② ヘルマン・ムテージウス

③ ヴァルター・グロピウス　④ アンリ・ヴァン・デ・ヴェルデ

▶ Q113

▶ Q115

正解

| Q113 ② | Q114 ③ | Q115 ③ | Q116 ④ |

tag

〈年代〉19世紀

〈時代背景〉帝国主義、産業革命、近代化、技術革新、実利主義、実証主義、モニュメントの時代、パリ大改造、万国博覧会

〈文化的特徴〉折衷主義、新素材による建築、機能主義／古典主義、ゴシック様式、分離派、アール・ヌーヴォー、シカゴ派／古典的な外観、鉄とガラスの建築、コンクリート建築、大量生産

解説

19世紀は技術革新の時代ですが、ナポレオン帝政下で流行したアンピール様式は、古代ギリシアやローマの建築を手本とした、ナポレオンの偉業を誇示するシンボルでした。この時代、イギリスやドイツで多くの博物館や美術館が建設されますが、やはり古代を参照した建物がほとんどです。しかし、19世紀半ばには鉄、ガラス、コンクリートという大量生産可能な素材が建築を変えます。構造はより自由度が高くなり、工期も短くなりました。1851年のロンドン万国博覧会のパヴィリオン、クリスタル・パレスはまさに鉄とガラスで造られた、機能を追求した建築物でした。オーストリアのワーグナーも「芸術は必要にのみ従う」として、機能主義を追求した近代建築家の1人です。ウィーン環状鉄道の駅舎や都市計画などに関わりました。郵便貯金局のガラスに囲まれた中央ホールは、近代建築の抽象的な空間が創造されました。一方、ヴァン・デ・ヴェルデは、ベルギーで生まれた工芸改革運動をフランスやドイツで広めた建築家です。サミュエル・ビングの「メゾン・ドゥ・ラール・ヌーヴォー」の店舗内装も手がけました。

画集や美術館サイトで作品をチェック！

▶ Q113
エトワール凱旋門
1806-36
パリ

▶ Q115
オットー・ワーグナー 郵便貯金局
1904-12
ウィーン

11 20世紀の美術（1900～1945）

以下の資料を読み、続く設問に答えてください。

［資料］

20世紀に入って最初に現れた芸術運動は表現主義でした。フランス、オーストリア、ドイツなどで同じような時期に活動が見られます。フランスでは、マティスが《帽子の女》を出品した展覧会①でドランやマルケらの作品が一堂に集められ、それを批評家が酷評した言葉から、彼らの感情や精神を表出したような激しい表現に「フォーヴィスム」という名称が使われ始めました。ドイツの表現主義は、それまでの美術を越えようと生まれた動き②でした。

Q117 印象主義や象徴主義の運動の影響から、20世紀初頭には多様なアヴァンギャルド運動が展開されました。絵画からとくに何を解放したことがそれらの端緒となりましたか。

① 形態 ② 神学
③ 色彩 ④ 光

Q118 下線部①の展覧会はどれですか。

① 1900年のパリ万国博覧会美術展
② 1903年のサロン・ドートンヌ
③ 1905年のアンデパンダン展
④ 1905年のサロン・ドートンヌ

Q119 下線部②の運動の1つで、下図を制作した作者が属するグループについての説明として、最もふさわしいものはどれですか。

① ベルリンで創設された表現主義のグループである。
② 自己の感情に忠実であろうとして、直に彫って刷れる木版画を好んだ。
③ フランスのフォーヴィスムに影響を受けて組織された。
④ 批評家の揶揄からグループ名が付けられた。

Q120 作曲家で画商のヴァルデンが発行した、ドイツ表現主義の雑誌はどれですか。

①『夢見る少年たち』
②『ヴェル・サクルム』
③『青騎士』
④『デア・シュトゥルム』

▶ Q119

正解

Q117 ③   Q118 ④   Q119 ②   Q120 ④

tag

〈年代〉20世紀初頭

〈時代背景〉帝国主義の対立激化、資本主義、重工業の発展、マルクス主義、フロイトの精神分析、ギヨーム・アポリネールら文学者による前衛芸術運動の形成

〈文化的特徴〉表現主義／ポスト印象主義、象徴主義、世紀末美術、ナイーヴ・アート／強烈な色彩とデフォルメされた形態、芸術運動の国際展開、プリミティヴィズム

解説

20世紀最初の芸術運動の口火を切ったのは、1905年の第3回サロン・ドートンヌに出品された、表現主義傾向の作品群でした。同展を機にフォーヴと呼ばれた作家たちの革新性は、とくに「色彩」に表れています。それまで多くの画家がリンゴは赤く、木の葉は緑にと描く対象を叙述してきた色彩を、彼らは自然の色にこだわらず、チューブから出した色の強さや表現力を愛し、本能に従って直接キャンヴァスに置いたのです。同じ頃、ドイツでも表現主義運動が興ります。ブリュッケは、05年にドレスデン工科大学建築科のキルヒナー、ヘッケル、シュミット＝ロットルフ、ブライルにより結成されました。彼らは反アカデミズムの態度をとり、ゴッホやムンク、アフリカやオセアニアの原始美術の影響を受け、激情を強烈な色と形で画面に表しました。また、中世以来の木版画の素朴な美しさを再発見し制作も行います。のちにベルリンへ移り、13年に解散しました。画商のヴァルデンは保守勢力が強いドイツで、無名の前衛作家たちを擁護した人物です。10年にベルリンで『デア・シュトゥルム（嵐）』を刊行。その後、同地で画廊を開設して作家たちを紹介します。青騎士、フォーヴィスム、未来派など国際的な前衛美術の動きを伝えました。

画集や
美術館サイトで
作品をチェック！

▶ Q119
エルンスト・ルートヴィヒ・キルヒナー
《街頭》

1913
油彩・キャンヴァス　120.6×91.1cm
ニューヨーク近代美術館

以下の資料を読み、続く設問に答えてください。

［資料］

ピカソと（A）が模索した新しい絵画は、現実を把握する見方が1つでよいのかという問いから始まったと
いわれています。1908年から16年にかけて、分析的キュビスム、総合的キュビスムへと移行しました。彼
らは実験期にはギャラリーでの個展開催のみに徹したにも関わらず、1911年春のアンデパンダン展には、
ドローネーやメッツァンジェ、デュシャン、ピカビアをはじめ、多くの追随者が出品しました。

Q121 （A）に該当する画家はだれですか。

① エドヴァルト・ムンク　　　② ジョルジュ・ブラック

③ ジョアン・ミロ　　　　　④ ジョルジョ・デ・キリコ

Q122 次のうち、多視点的な描き方とは異なる作品はどれですか。

① ポール・セザンヌ《りんごとオレンジ》

② パブロ・ピカソ《オルタ・デ・エブロの工場》

③ モーリス・ユトリロ《コタン小路》（ポンピドゥー・センター）

④ クロード・モネ《睡蓮》

Q123 下図の作者についての説明として、ふさわしいものはどれですか。

① ロシア出身の画家で、夢幻をモチーフに幻想的なイメージを描いた。

② スピードの美的感覚を訴える、動きを表すイメージを構成した。

③ 3原色と直線だけで構成した絵画を描いた。

④ キュビスムに参加したのち、単純化した形態と豊かな色彩で独自の表現に移った。

Q124 下図はどの芸術傾向に分類されますか。

① キュビスム　　　　　　② 未来派

③ 表現主義　　　　　　　④ ダダ

▶ Q123

▶ Q124

正解

| Q121 ② | Q122 ③ | Q123 ④ | Q124 ① |

tag

〈年代〉20世紀初頭

〈時代背景〉帝国主義の対立激化、資本主義、重工業の発展、マルクス主義、フロイトの精神分析、ギヨーム・アポリネールら文学者による前衛芸術運動の形成

〈文化的特徴〉キュビスム／ポスト印象主義、象徴主義、世紀末美術、プリミティヴィズム、未来派／幾何学的形態、多視点、芸術運動の国際展開、視覚と認識の問い直し

解説

ブラックは詩人アポリネールの紹介でピカソと出会います。セザンヌの影響を受けた2人は、対象をあらゆる角度から把握すること、見た通りにではなく考えたように構成することを目指しました。相互に影響し合い、1909年から12年に《ヴァイオリンと水差し》（ブラック）のような、分析的キュビスム作品を描きます。12年から16年までに、《ヴィオリン》（ピカソ）などの総合的キュビスムに至ります。19世紀後半からキュビスムに至る絵画の革新は、絵画において現実を把握する際の多視点の導入です。この実験では、現実を単一焦点の遠近法で錯視的に再現せず、複数の視点から対象を眺め、同時的に合成した図像として構成しようとしました。キュビスムの画家はそれを大胆に推進しますが、参照先はセザンヌの絵画でした。一方、独自にキュビスムに至った画家もいます。レジェはその1人で、ものの形を円筒形などに還元し、それを再構成することで独自のキュビスム絵画を生み出しました。人物のほか、機械や都市文明などがその対象となっています。のちに現代美術の父といわれるデュシャンは、キュビスムの追随者の1人で、連続写真のように動作を写し出し、空間と時間を表現しました。イタリアで興った未来派とも共通する手法です。

画集や
美術館サイトで
作品をチェック！

▶ Q123
フェルナン・レジェ
《猫を抱く女》

1921
油彩・キャンヴァス　130.8×90.5cm
メトロポリタン美術館、ニューヨーク

▶ Q124
マルセル・デュシャン
《階段を降りる裸婦 No.2》

1912
油彩・キャンヴァス　147×89.2cm
フィラデルフィア美術館

以下の資料を読み、続く設問に答えてください。

[資料]

カンディンスキーは、表現主義時代に「音楽のように具体的な対象を再現しないような絵画」の可能性を考え、色彩のみで人を感動させられる抽象絵画の道を切り拓きます。その画面は、色彩と形態がぶつかり合うようなエネルギッシュな表現でした。同様に、オルフィスムや未来派の画家たち、モンドリアンらはそれぞれ抽象絵画を追求します。このような動向に刺激を受け、ロシアでは構成主義が興ります。

Q125 下線部のような抽象表現は、なんと呼ばれていますか。

① 静的な抽象   ② 動的な抽象
③ 冷たい抽象   ④ 熱い抽象

Q126 モンドリアンが提唱した「新造形主義」の色彩要素として使われた色の組み合わせはどれですか。

① 赤・青・灰   ② 茶・黒・白
③ 赤・青・黄   ④ 黒・赤・茶

Q127 詩人マヤコフスキーと組んで、左翼的なイデオロギーのもと、生活の全てをデザインしていこうとした構成主義の作家はだれですか。

① アレクサンドル・ロトチェンコ
② エル・リシツキー
③ カシミール・マレーヴィッチ
④ ステンベルク兄弟

Q128 下図を構想したロシア構成主義の作家はだれですか。

① エル・リシツキー
② ミハイル・ラリオーノフ
③ ウラジミール・タトリン
④ リューボフ・ポポーヴァ

▶ Q128

正解

| Q125 ④ | Q126 ③ | Q127 ① | Q128 ③ |

tag

〈年代〉20世紀前半

〈時代背景〉帝国主義の対立激化、資本主義、重工業の発展、第一次世界大戦、ロシア革命、マルクス主義、フロイトの精神分析、ギヨーム・アポリネールら文学者による前衛芸術運動の形成

〈文化的特徴〉抽象、デ・ステイル、ロシア構成主義／印象主義、ポスト印象主義、プリミティヴィズム、表現主義、キュビスム、未来派／幾何学的形態、多視点、芸術運動の国際展開

解説

20世紀の抽象絵画の創始者は、カンディンスキーとされることがよくあります。しかし、カンディンスキーの作品には、抽象表現に移行した後も、しばしば自然や具体的なモチーフを連想させるようなイメージが登場します。一方、モンドリアンは、より厳格で純粋な抽象絵画を追求し、新しい視点を現代美術に投げかけた画家といえるでしょう。前者の色彩と形態がぶつかりあうような力強い表現は、「熱い抽象」と呼ばれます。後者のような限られた色彩と極めて単純化された形態で表現された抽象絵画は、「冷たい抽象」と呼ばれました。モンドリアンは、自らの造形理論を打ち出し、水平と垂直の線、そして3原色と黒、灰色、白のみを要素に自然や事物の本質の可視化を追求しました。ロシアでは、1910年頃から抽象絵画運動が興り、続いて構成主義の動向が現れました。タトリンは、その創始者ともいわれています。彼は伝統的な絵画を否定し、工業的な素材を用いた自身のレリーフ作品を「構成」と呼びました。ロシアでは革命後、社会主義国家建設に向け、美術の役割が注目されます。科学技術と芸術を調和させ、美術を実用的なものとして機能させようとした構成主義は、革命政府の動向に結びつき、その影響は20年代には絵画、彫刻、写真、デザイン、建築の各方面に及びました。おもな作家にはほかに、ロトチェンコやポポーヴァ、リシツキーなどがいます。

画集や
美術館サイトで
作品をチェック！

▶ Q128
ウラジミール・タトリン
《第3インターナショナル記念塔模型》

1818-20（現存せず）
金属・木　高さ420cm

以下の資料を読み、続く設問に答えてください。

［資料］
20世紀前半は技術の発展にともない、機能性や生産性を重視する物質的な文明生活が都市を中心に浸透していきました。こうした近代化が人々に迎え入れられる反面、社会や文化における矛盾点も増えていきます。その矛盾は第一次世界大戦で明らかになり、西洋思想を貫いてきた（A）を批判し、芸術そのものを根本から覆そうとした芸術動向のダダが現れます。この傾向は、人間の精神の解放を夢見るシュルレアリスムにも継承されました。

Q129 （A）に入る語句として、最も妥当なものはどれですか。

① 非合理性や装飾性　　　② 個人主義や伝統
③ 合理性や秩序　　　　　④ キリスト教の思想

Q130 ダダの中心地となった都市と、そこで活動したおもな芸術家の組み合わせとして、適切なものはどれですか。

① チューリッヒ ― フーゴー・バル、クルト・シュヴィッタース
② ベルリン ― ハンス（ジャン）・アルプ、トリスタン・ツァラ
③ ハノーヴァー ― ラウル・ハウスマン、マン・レイ
④ ニューヨーク ― フランシス・ピカビア、マルセル・デュシャン

Q131 1935年に下図の作者が始めた絵画技法はなんですか。

① アサンブラージュ　　　② デカルコマニー
③ フロッタージュ　　　　④ ドライブラシ

Q132 Q131の技法について述べたものはどれですか。

① ダダの作家、クルト・シュヴィッタースによってシリーズ制作された。
② フランス語の「こする」が語源で、シュルレアリスムに用いられた技法。
③ より立体的な表現を可能にし、「コラージュ」と区別するために名付けられた。
④ オートマティスムの1手法としてシュルレアリストが制作に用いた。

▶ Q131

正解

| Q129 ③ | Q130 ④ | Q131 ② | Q132 ④ |

tag

〈年代〉20世紀

〈時代背景〉帝国主義の対立激化、第一次世界大戦、ロシア革命、ヴェルサイユ体制、資本主義、合理主義、機能主義、重工業の発展、マルクス主義、フロイトの精神分析、文学者による前衛芸術運動の形成

〈文化的特徴〉ダダ、シュルレアリスム／キュビスム、プリミティヴィズム、形而上絵画／抽象表現、非合理性、不安感、無意識、夢、自立的な芸術への批判、芸術運動の国際展開

解説

資本主義のルールに則った合理的な工業化社会やブルジョワ的価値観の蔓延した社会規範に対して、第一次世界大戦を機に批判をぶつけたのがダダの芸術運動でした。ここでは市民に支えられた近代の芸術も批判の対象となりました。

シュルレアリスム（超現実主義）はフロイトの精神分析の強い影響を受け、個人の意識よりも集団の意識、無意識や夢、偶然を重視しました。シュルレアリストたちは普段は気づかない現実（超現実）を、偶然性が強く、意識や理性がなるべく介在しない手法によってつかむと考えて作品を制作します。その手法の1つがドミンゲスの考案したデカルコマニーです。シュルレアリスムとは、無意識という隠された現実を探ることによって日常を再構成する試みといえるでしょう。

画集や
美術館サイトで
作品をチェック！

▶ Q131
オスカー・ドミンゲス
《無題》

1936
デカルコマニー（グワッシュ）・紙　35.9×29.2cm
ニューヨーク近代美術館

以下の資料を読み、続く設問に答えてください。

［資料］

20世紀は多様な前衛芸術運動が興りますが、それらとは直接関わっていない動きも、各国で並行して起きていました。パリの「エコール・ド・パリ」①と呼ばれる作家たちも、前衛芸術運動の周辺にいて影響を受けながらも、独自の画風を確立していきました。2つの世界大戦の間に<u>ドイツで起きた独自のリアリズム的な美術運動②も</u>、ダダの精神を受け継ぎつつ、自国の状況を反映した活動でした。

Q133 下線部①の動向に属する画家で、ロシアから来たのはだれですか。

① マリー・ローランサン　　② ジュール・パスキン

③ アメディオ・モディリアーニ　　④ マルク・シャガール

Q134 1920年代に起きた、下線部②の美術運動はなんですか。

① シュルレアリスム　　② メルツ

③ 形而上絵画　　④ 新即物主義

Q135 Q134の運動を代表する画家で、下図を制作したのはだれですか。

① ジョージ・グロス　　② オットー・ディクス

③ ジョン・ハートフィールド　　④ マックス・ベックマン

Q136 新しい美術を敵視したナチス・ドイツが、見せしめのためにそれらの作品を集めて開いた展覧会の名称はなんですか。

① 大ドイツ芸術展　　② 頽廃芸術展

③ アーモリー・ショウ　　④ ナチス芸術展

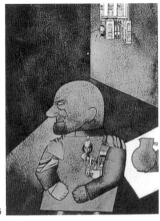

▶Q135

正解

| Q133 ④ | Q134 ④ | Q135 ① | Q136 ② |

tag

〈年代〉20世紀

〈時代背景〉帝国主義の対立激化、資本主義、重工業の発展、第一次世界大戦、ロシア革命、ヴェルサイユ体制、ワイマール共和国、独裁政治体制、マルクス主義、フロイトの精神分析、文学者による前衛芸術運動の形成、パリの狂乱の時代

〈文化的特徴〉エコール・ド・パリ、新即物主義／印象主義、ポスト印象主義、プリミティヴィズム、表現主義、キュビスム、未来派、バウハウス／孤独感、不安感、非合理性、芸術運動の国際展開

解説

20世紀初頭のパリは芸術の中心地であり、欧米や日本から芸術家たちが集まりました。2大戦間に全盛期を迎えた「エコール・ド・パリ」の作家たちの中核は、1910年前後にはロシアや東欧から来た貧しいユダヤ系の人たちでした。その1人、ロシア人のシャガールは、フォーヴィスムやキュビスムに影響を受けつつ、現実と夢、追憶が共存した、独特の哀調を帯びた幻想的な画風で高く評価されました。一方、20年代のドイツでは、ダダの社会権力への批判精神を受け継いだ新即物主義（ノイエ・ザハリヒカイト）の作家たちが精力的に活動します。インフレや労働争議などに揺れるワイマール共和国の社会的な現実を告発する作品を多く制作したのです。グロスやディクスは、醜悪な現実を直視し暴く意図から、不気味で戯画的な作品を、ショルツらは静物、風景、人物を客観的に冷めたリアリズムで描き出しました。この動向は、30年代に台頭してきたナチスにより、表現主義やバウハウスとともに抑圧されていきます。ナチスは各地の美術館から作品を没収し、37年から41年にかけて「頽廃芸術展」として各地を巡回させました。表現主義のノルデは、1052点の作品を押収された上、最終的には制作も禁じられました。

画集や
美術館サイトで
作品をチェック！

▶ Q135
ジョージ・グロス
《技師（ハートフィールド）》
1920
水彩・インク・鉛筆・コラージュ・紙　41.9×30.4cm
ニューヨーク近代美術館

以下の資料を読み、続く設問に答えてください。

[資料]

アメリカでは第一次世界大戦前に前衛美術が盛んになりますが、1920年代から30年代にかけて、<u>アメリカ的な主題の具象絵画を描く画家たち</u>が登場しました。地域主義的なこの動きは、不況のアメリカ経済とも関係していました。不況打開のために打ち出された政策により、国民主義的でルーツ回帰的な風潮がアメリカを覆ったのです。また、隣国では同時期にメキシコ壁画運動という、万人のための美術運動が興りました。

Q137 下線部の動向はなんと呼ばれていますか。

① アメリカ・モダン　　　　② ヴォーティシズム
③ プレシジョニズム　　　　④ リージョナリズム

Q138 下図はQ137の動向の作例ですが、この動向を述べたものとして妥当なものはどれですか。

① おもに2つの世界大戦間のアメリカの街や郊外の様子を写実的に描いた作品群。
② ニュー・ディール政策により連邦美術計画に参加した画家たちの作品群。
③ 芸術が万人に理解できるものととらえる風潮に異を唱えた絵画活動。
④ メキシコ壁画運動に触発された、社会主義者の画家たちによる制作活動。

Q139 下図を描いた画家で、連邦美術計画にも参加したのはだれですか。

① アーシル・ゴーキー　　　② アドルフ・ゴットリーブ
③ ウィレム・デ・クーニング　④ ジャクソン・ポロック

Q140 メキシコ壁画運動に参加した画家はだれですか。

① ディエゴ・リベラ　　　　② マーク・ロスコ
③ フリーダ・カーロ　　　　④ ジャクソン・ポロック

▶ Q138

▶ Q139

正解

| Q137 ④ | Q138 ① | Q139 ① | Q140 ① |

tag

〈年代〉20世紀

〈時代背景〉資本主義、工業化社会、第一次世界大戦、アメリカの孤立主義、世界恐慌、ニュー・ディール政策、狂騒の20年代、ジャズ・エイジ

〈文化的特徴〉リージョナリズム（アメリカン・シーン）／アメリカン・モダン、キュビスム、抽象絵画／リアリズム、具象絵画、ルーツ回帰、退廃的な都市部・郊外などの風景

解説

1913年のアーモリー・ショウ以来、アメリカではヨーロッパからの影響を受けた前衛美術を手がける作家やそれを扱う画廊、コレクター層が広まりました。また、ニューヨーク近代美術館やホイットニー美術館が開館し、アメリカン・モダン（アメリカの前衛美術）の動きを後押しします。しかし、こうした前衛的な動向に対し、20年代から30年代にピークを迎えたのがリージョナリズム（アメリカン・シーン）です。ホッパーは国内の旅を通じ、荒廃した都市や田舎の情景をリアリズムの手法で描きました。リトアニア生まれのベン・シャーンは、社会的弱者への共感を制作動機に、外国人排斥運動を題材とした作品で評価を確立します。また、アンドリュー・ワイエスもこの系譜に連なります。こういった動向の背景には、排他的なニュー・ディール政策の実施もありました。この政策には、34年から約10年間にわたり、公共建築物を装飾する芸術家救済事業の連邦美術計画も含まれました。これにはアメリカ美術の保守化や反抽象的な姿勢も見られました。しかし、この事業に参加したゴーキーは、のちの抽象表現主義の先駆的画家です。

また、同じく抽象表現主義などに影響を与えた芸術運動に、メキシコ壁画運動があります。これはメキシコを舞台に国家の文化政策と連動した動きで、20年代初頭に開始されました。おもな画家に、リベラ、オロスコ、シケイロスがいます。

画集や
美術館サイトで
作品をチェック！

▶ Q138
エドワード・ホッパー
《アーリー・サンデー・モーニング》

1930
油彩・キャンヴァス　89.4×153cm
ホイットニー美術館、ニューヨーク

▶ Q139
アーシル・ゴーキー
《アーティストと母親》

1926-36頃
油彩・キャンヴァス　152.4×127.6cm
ホイットニー美術館、ニューヨーク

問題
Questions

以下の資料を読み、続く設問に答えてください。

［資料］

20世紀前半の彫刻は、大きく2つの潮流がありました。ロダンを超えようと独自表現を追求する彫刻家たちの彫刻と、前衛芸術運動の中で、表現メディアの1つとして彫刻という形態を選択する画家たちによる革新的な作品です。素材や形態とともに表現を追求した前者では、ブランクーシやヘップワース、ムーアはその代表的な作家です。後者ではピカソやマティス、アサンブラージュへと展開を見せたミロなどがいます。

Q141 ブランクーシの作品で、抽象彫刻のメルクマールとなったものはどれですか。

① 《空間の鳥》 　　　　　② 《世界の始まり》
③ 《眠れるミューズ》 　　④ 《接吻》

Q142 キュビスムを代表する画家でありながら、晩年までスタイルを変えながら彫刻も作り続けた、スペイン出身の芸術家はだれですか。

① ジョアン・ミロ 　　　② フリオ・ゴンザレス
③ サルバドール・ダリ 　④ パブロ・ピカソ

Q143 ダダやシュルレアリスムの芸術家たちが制作した、自然物や廃品も含み、それまでの彫刻概念を否定するような立体作品は、なんと呼ばれましたか。

① 彩色レリーフ 　　② アサンブラージュ
③ オブジェ 　　　　④ モビール

Q144 下図の彫刻作品が分類される芸術運動と関連付けた説明として、最も適切なものはどれですか。

① 写実的な肉付きで内面的な感情を表現している。
② 無機質で感情を排した抽象的な表現をしている。
③ 構成をベースに着想された抽象的な作品である。
④ 有機的な着想で作られた抽象的な作品である。

▶ Q144A　　　　　　　　　　　　　　▶ Q144B

1 西洋美術史

正解

| Q141 | ① | Q142 | ④ | Q143 | ③ | Q144 | ④ |

tag

〈年代〉20世紀前半

〈時代背景〉帝国主義の対立激化、社会主義革命、資本主義、重工業の発展、第一次世界大戦、マルクス主義、フロイトの精神分析、文学者による前衛芸術運動の形成

〈文化的特徴〉20世紀前半の彫刻、未来派、ダダ、ロシア構成主義、シュルレアリスム／ロダン、ポスト印象主義、抽象／幾何学的形態、抽象的表現、アルカイズム、オブジェ、アサンブラージュ

解説

ルーマニア出身のブランクーシは、美術学校で学び、1904年にパリに出ました。ロダンの彫刻に感銘しますが、08年にはプリミティヴな形態の「接吻」シリーズを制作しました。さらに形態の単純化を重ね、24年制作の《空間の鳥》に至っては、素材感を消してしまうほど抽象化された形態を創造しました。ブランクーシがプリミティヴな要素に関心を寄せたのは、フランスの画家たちの影響だと考えられています。一方、絵画でも多様なスタイルを変遷したピカソは、彫刻や立体作品でもキュビスム的なもの、構成的なもの、具象的なものと常にスタイルが変化しました。素材も木彫、石膏、鉄線とバリエーションに富んでいます。

ダダやシュルレアリストは、彫刻の手仕事的な概念を拒む「オブジェ」という概念のもと、既成品や廃品、自然物まで用いた立体作品を提示しました。その展開上に、廃品や素材などを寄せ集めて立体として構成したアサンブラージュがあります。

Q144は、どちらも抽象的な表現ですが、空間と人体との関係や、機械と馬の体が示す動きの関連性を形態化する有機的な着想から制作された作品といえます。

画集や美術館サイトで作品をチェック！

▶Q144A
ヘンリー・ムーア
《横たわる人》

1935-36
ニレ材　48.26×93.34×44.45cm
オルブライト＝ノックス美術館、バッファロー（ニューヨーク州）

▶Q144B
レイモン・デュシャン・ヴィヨン
《大きな馬》

1914(原型)/1976
ブロンズ　150×97×153cm
ポンピドゥー・センター、パリ

以下の資料を読み、続く設問に答えてください。

[資料]

新素材を用い、装飾性を排して機能性を追求したモダニズム建築は、その展開基盤としてドイツ工作連盟やバウハウスの動きがありました。また、1928年に開催された近代建築国際会議が、その理念の確立に重要な役割を果たしたといわれています。この会議には、バウハウスの初代校長グロピウス、3代目の校長ファン・デル・ローエ、ル・コルビュジエら28人のヨーロッパの建築家が参加しました。

Q145　下図を設計した建築家が残した言葉はどれですか。

① 神は細部に宿る　　　　　　② 形態は機能に従う
③ 住宅は住むための機械である　④ 装飾は罪悪である

Q146　下図の建築は「シュレーダー邸」ですが、この建築と関わりのある芸術運動はどれですか。

① キュビスム　　　　　　② デ・ステイル
③ 表現主義　　　　　　　④ 未来派

Q147　「住宅は住むための機械である」という言葉を残したのはだれですか。

① ル・コルビュジエ　　　　② バックミンスター・フラー
③ フランク・ロイド・ライト　④ ブルーノ・タウト

Q148　モダニズム建築の特徴として、正しいものはどれですか。

① 装飾性のない、機能性と合理性を追求した、直線的な立方体の建物。
② 幾何学的で優美な形態を持ち、装飾性にあふれた建物。
③ 装飾性や折衷性、過剰性などの回復を目指した建物。
④ 非線形な手法が採用され、幾何学的でアンバランスな形態の建物。

▶ Q145

▶ Q146

正解

| Q145 ④ | Q146 ② | Q147 ① | Q148 ① |

tag

〈年代〉20世紀

〈時代背景〉工業化社会、大量生産、工業用素材の発達、建築技術の発展、都市計画、機能主義、合理主義、モダンデザイン、ドイツ工作連盟

〈文化的特徴〉モダニズム建築／バウハウス、デ・ステイル、構成主義、シカゴ派／合理的形態、機能性、装飾の排除、有機的形態

解説

モダニズム建築は、19世紀以前の建築様式を批判し、市民革命と産業革命以降の社会の現実に合った建築を造ろうとする動きから生まれた様式です。ガラスと鉄の建築素材、鉄筋コンクリート技術によって、普遍的な空間概念が導入されました。ロースはオーストリアの建築家で、モダニズム建築の先駆ともいえる建物を設計しました。

デ・ステイルは、1917年に同名の雑誌創刊を機に組織された、モンドリアンの新造形主義の理論に導かれた芸術家グループです。18年に参加したリートフェルトは、工芸や建築分野でこの造形理念を形にしました。

モダニズムの3大建築家の1人、ル・コルビュジエはスイス出身の建築家で、フランスを中心に活躍しました。彼が開発した工法ドミノ・システムは、柱によって上層を支える構造になっており、重厚な壁を必要としないことから建築設計は飛躍的に自由なものとなっていきました。

モダニズムの建築家が残した言葉は、Q145の①はファン・デル・ローエ、②はシカゴ派のサリヴァンです。また、Q148は、②はアール・デコ様式、③はポストモダン建築、④は脱構造主義建築の特徴に該当します。

画集や
美術館サイトで
作品をチェック!

▶ Q145
アドルフ・ロース
シュタイナー邸

1910
ウィーン

▶ Q146
ヘリット・トーマス・リートフェルト
シュレーダー邸

1924
ユトレヒト

12 20世紀と現代の美術（1945～1970年代）

以下の資料を読み、続く設問に答えてください。

［資料］
第二次世界大戦後のパリには、<u>戦争体験がもたらした生への視座を、激しい身振りや非具象的な表現で描く自己追求的な絵画</u>の動きが現れます。並行して、アメリカやヨーロッパ、日本でも同様の絵画傾向が見られました。とくにアメリカの抽象表現主義では、大画面での構成が展開しました。

Q149 下線部の絵画運動をなんといいますか。

① アクション・ペインティング　　② シュポール／シュルファス
③ アンフォルメル　　　　　　　④ ニュー・ペインティング

Q150 Q149 の絵画運動の名付け親となった美術評論家はだれですか。

① ミシェル・タピエ　　　　　　② アラン・ジュフロワ
③ ピエール・レスタニ　　　　　④ アラン・カプロウ

Q151 下図を制作したグループ「コブラ」の名称は、参加作家の出身都市の頭文字を取ったものでした。関係する都市はどこですか。

① パリ　　　　　　　　　　　　② コペンハーゲン
③ ベルリン　　　　　　　　　　④ ロンドン

Q152 下図のような染み込み（ステイン）で「ヴェール」絵画を制作した画家はだれですか。

① ジャクソン・ポロック　　　　② エドワード・ホッパー
③ リー・クラスナー　　　　　　④ モーリス・ルイス

▶ Q151

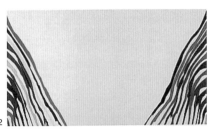

▶ Q152

正解

| Q149 ③ | Q150 ① | Q151 ② | Q152 ④ |

tag

〈年代〉1950年代〜60年代

〈時代背景〉第二次世界大戦、戦後復興、東西冷戦、アメリカ経済の発展、大量消費社会、宇宙開発、実存主義、マルクス主義、カウンター・カルチャー、ユダヤ性

〈文化的特徴〉アンフォルメル、抽象表現主義／シュルレアリスムの継承／大画面、フォーマリズム批評、アクション・ペインティング

解説

アンフォルメルの絵画の特徴は、不定形な厚塗りのマチエールや画家の身体的な動きが残す手跡の錯綜に重きを置く点です。戦争という過酷な現実を体験した作家たちが、不条理な現実に置かれた自己の生を問い続ける激情の表現ともいえるでしょう。同時代に興ったアメリカの抽象表現主義にも共通点を見出せます。この新しい作品傾向のフォートリエやデュビュッフェ、ヴォルスらに注目したのがタピエでした。1952年に非具象絵画の美術運動を組織する際、「アンフォルメル（非定形の）」という言葉を使いました。運動の中心はパリでしたが、デ・クーニングやポロック、今井俊満、堂本尚郎なども参加し、国際的に展開します。いち早く戦後美術の風潮に対応した「コブラ」は、アスガー・ヨルン、カレル・アペル、ギョーム・コルネイユ、ピエール・アレシンスキーが結成。その絵画は抽象と具象が交錯した激しい感情表現が特徴です。51年に解散した短命な活動ながら、パリやニューヨークから離れて展開しました。アメリカでは、ロシア移民の子ルイスが、54年に薄めたアクリル絵具を大きなキャンヴァスに流して染み込ませる「ヴェール」絵画を創始します。その後も染みの形や色彩の配置を変えつつ、この方法を探求し続けました。

画集や
美術館サイトで
作品をチェック！

▶Q151
カレル・アペル
《荒れ模様の風景》

1967
油彩・キャンヴァス　130×195cm
マーサ・ジャクソン・ギャラリー、ニューヨーク

▶Q152
モーリス・ルイス
《アルファ Pi》

1960
油彩・キャンヴァス　260.4×449.6cm
メトロポリタン美術館、ニューヨーク

以下の資料を読み、続く設問に答えてください。

［資料］

ミニマル・アート、あるいはミニマリズムは、形態や色彩を最小限まで突き詰めた還元主義的な傾向の美術を指す総称です。1960年代のアメリカで大きな影響を及ぼした傾向ですが、その始まりは、絵画を三次元の「もの」としてとらえ直そうとした動きや、抽象表現主義の延長線上で展開した試みでした。この傾向は、次第に表現行為や表現のプロセスを重視するようになり、コンセプチュアル・アートへとつながっていきます。

Q153 下図は下線部の作例です。制作した作家はだれですか。

① エンツォ・クッキ　　　② ジョルジュ・マチュー
③ クリフォード・スティル　④ ルチオ・フォンタナ

Q154 フランク・ステラの作品を説明したものとして、最もふさわしいものはどれですか。

① 均一な塗りによる色彩対比で、緊張感のある画面を構成する。
② シェイプト・キャンヴァス上に、塗料で均一な塗りでストライプを構成する。
③ 木枠に貼らないキャンヴァス上に、同じ模様を繰り返し描いて構成する。
④ 正方形の画面上に同じトーンの色彩による相似形のみで構成する。

Q155 抽象表現主義の画家からミニマル・アートの立体制作に移行した作家はだれですか。

① ソル・ルウィット　　② ドナルド・ジャッド
③ カール・アンドレ　　④ アグネス・マーティン

Q156 下図の展示を行ったミニマル・アートの作家はだれですか。

① ロバート・モリス　　② ロバート・スミッソン
③ ジャン・ティンゲリー　④ マリノ・マリーニ

▶ Q153

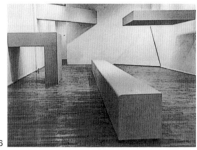

▶ Q156

正解

| Q153 ④ | Q154 ② | Q155 ② | Q156 ① |

tag

〈年代〉1960年代〜70年代

〈時代背景〉第二次世界大戦、戦後復興、東西冷戦、アメリカ経済の発展、大量消費社会、宇宙開発、実存主義、マルクス主義、カウンター・カルチャー、ユダヤ性

〈文化的特徴〉カラー＝フィールド・ペインティング、ハード・エッジ、ミニマル・アート／アンフォルメル、抽象表現主義、アクション・ペインティング／色彩による絵画、単純な形態、フォーマリズム批評、芸術と客体性

解説

戦後のイタリアで活躍したフォンタナは、自らの活動を「空間主義」と表し、キャンヴァスを切り裂いたり、画面に孔を開けたりして絵画が三次元であることを証明しようとしました。このように表現方法そのものをとらえ直す行為は、絵画、彫刻などの伝統的な分類ではとらえきれない作品を生み出す、のちの動向にも大きな影響を与えています。一方、ステラは、キャンヴァスを変形し、2色の均一に塗られた色面からなる精密なパターンでストライプを生み出します。画面に感情などは一切加えず、絵画を「もの（物質）」そのものとして提示することで、純粋な知覚認識の対象へと還元しようとしたのです。のちに立体作品でミニマル・アートを代表する作家となったドナルド・ジャッドも抽象表現主義の画家の1人でした。

モリスも合板製の幾何学的な形態で知られる立体の作家です。彼は1964年のグリーン・ギャラリーの個展で、複数のシンプルな立体を画廊内に配置し、空間と作品、鑑賞者の新しい関係を問題にしました。鑑賞者は舞台装置のような空間に入り、そこで自分の体と作品、展示空間全体との関係を意識するように仕向けられました。

画集や美術館サイトで作品をチェック！

▶ Q153
ルチオ・フォンタナ
《空間概念 期待》

1961
水彩・キャンヴァス　115.7×89cm
大原美術館、岡山

▶ Q156
ロバート・モリス
グリーン・ギャラリーの個展

インスタレーション風景
1964
個人蔵

以下の資料を読み、続く設問に答えてください。

［資料］
第二次世界大戦の終息をほぼ境に、20世紀の後半の具象絵画は、この時代に全盛となった抽象絵画と並走していました。シュルレアリスムや抽象表現主義を経験したこの時代の具象絵画が模索したのは、リアリズムの今日的表現です。戦前の美術の継承や過去の参照から、多彩な表現を生み出していました。

Q157 1940年代からマティスが試みた表現手法はなんですか。

① 折り紙　　　　　　　② 切り紙
③ マーブリング　　　　④ 染色

Q158 下図の作者はだれですか。

① アレックス・カッツ　　② エドワード・ホッパー
③ アンドリュー・ワイエス　④ ベン・シャーン

Q159 下図の作品は、ある巨匠の絵画が下敷きとなっています。その巨匠とはだれですか。

① ラファエロ　　　　　② ティツィアーノ
③ ベラスケス　　　　　④ レンブラント

Q160 美術批評家ハーバート・リードが「実存主義のアングル」と呼んだ、イギリスの画家はだれですか。

① ベルナール・ビュッフェ　② ルネ・マグリット
③ フェルナンド・ボテロ　　④ ルシアン・フロイド

▶158

▶ Q159

正解

| Q157 ② | Q158 ③ | Q159 ③ | Q160 ④ |

tag

〈年代〉1950年代〜60年代

〈時代背景〉第二次世界大戦、戦後復興、東西冷戦、アメリカ経済の発展、大量消費社会、宇宙開発、実存主義、マルクス主義、カウンター・カルチャー

〈文化的特徴〉具象絵画／抽象表現主義、フォト・リアリズム、スーパーリアリズム、シュルレアリスムの継承／不安と幻想

解説

すでに20世紀の巨匠であったマティスは、第二次世界大戦後もフランスで具象的な表現を模索しました。戦中に大病を患った彼は、体力消耗を避けるために、グワッシュで着色した紙をハサミで切り抜く切り紙の手法で制作を続けました。

ワイエスは20世紀アメリカのリアリズムを代表する画家です。抽象表現主義の画家たちとほぼ同世代ですが、東海岸の寂寥たる風土を背景にした抒情漂う緻密な具象表現にこだわりました。極細の筆とテンペラによる豊かで繊細な色彩も特徴です。

アイルランド生まれのベーコンは、戦後は具象絵画にこだわった画家です。強烈な色彩と形態で不安感や孤独感を表現しました。掲載作品はベラスケスの《法王イノセントX世の肖像》(1650)を下敷きにしたものです。ベラスケスが法王を威厳のある姿で描いたのに対し、ベーコンは垂直方向のスピード感ある筆致で強い不安をかきたて、法王が絶叫しているかのように描きました。この作品は人間存在の根源的な不安を皮肉な形で提示したといわれています。また、フロイドは、ベーコンに通じるような不穏さと孤独さとともに、圧倒的な肉体の存在感を表現しました。

画集や
美術館サイトで
作品をチェック！

▶ Q158
アンドリュー・ワイエス
《クリスティーナの世界》

1948
テンペラ・ジェッソ・パネル　81.9×121.3cm
ニューヨーク近代美術館

▶ Q159
フランシス・ベーコン《ベラスケスの
《法王イノセントX世》に基づく習作》

1953
油彩・キャンヴァス　152.1×117.8cm
デモイン・アートセンター（アイオワ州）

以下の資料を読み、続く設問に答えてください。

［資料］

1950年代のアメリカは世界で最も豊かな国でした。家庭は電化製品であふれ、街には新聞や雑誌、映画、ジャズなどの音楽、商品の広告があふれていました。そして、これら身の回りの品々を美術に持ち込んだ「ネオ・ダダ」や、大衆文化から生まれた美術「ポップ・アート」が1950年代末頃から盛んになります。この大衆消費社会を反映した傾向は、ヨーロッパ各地でも見られました。

Q161 ネオ・ダダについて述べたものはどれですか。

① 大量生産品をモチーフにしたシルクスクリーン制作を中心に展開した動向。

② アメリカの消費文化を皮肉にとらえ、シンボリックな事物を柔らかな素材の彫刻で表現した。

③ 社会から距離をとり、絵画の役割と表現技法についてのみ追求した動向。

④ アメリカのポップ・アートの先駆的動向で、コンバイン・ペインティングなどを創造した。

Q162 下図を制作した、ネオ・ダダの作家はだれですか。

① ロバート・ラウシェンバーグ　② ロイ・リキテンスタイン

③ ジャスパー・ジョーンズ　④ エドゥアルド・パオロッツィ

Q163 クレス・オルデンバーグが1961年に行ったハプニングはどれですか。

①《ザ・ストア》　②《やわらかい便器》

③《人体測定》　④《眠り》

Q164 ウォーホルやリキテンスタインらのポップ・アーティストを積極的に擁護したギャラリーはどこですか。

① レオ・キャステリ　② ジョルジュ・プティ

③ デュラン＝リュエル　④ ベルネーム・ジュヌ

▶ Q162

正解

| Q161 ④ | Q162 ③ | Q163 ① | Q164 ① |

tag

〈年代〉1950年代〜70年代

〈時代背景〉第二次世界大戦、東西冷戦、アメリカ経済の発展、マーシャル・プラン、大量消費社会、ポップ・カルチャー、マルクス主義

〈文化的特徴〉ネオ・ダダ、ポップ・アート／ヌーヴォー・レアリスム、資本主義リアリズム、ソッツ・アート、ハプニング・パフォーマンス、ダダ、シュルレアリスム、抽象表現主義、アクション・ペインティング／日常的な素材・モチーフ、既成概念への反抗

解説

ラウシェンバーグとジョーンズは、抽象表現主義に影響を受けながらも、そうした既存の芸術的価値観に反発し、ダダ的手法を採用して新しい傾向の作品を制作しました。これらの作品に対し、美術批評家のハロルド・ローゼンバーグが「ネオ・ダダ」と名付けます。日用品や廃物など美術ならざるものを美術に導入したアサンブラージュなどを用い、アメリカのポップ・アートへと道を拓きました。

一方、大量消費時代の表現を模索していた若い作家たちは、日常に氾濫するイメージを、社会的な主張や芸術的な意思を加えずに作品に用います。その1人、オルデンバーグは、1950年代末よりアラン・カプロウらとハプニングを行っていました。石膏製の食品の彫刻などを店舗で販売した《ザ・ストア》は、身体的表現に造形要素を加えたものでした。このハプニングは、美術作品がギャラリーで販売されるシステムを回避しようとしたものでしたが、オルデンバーグが日用品をモチーフにした彫刻制作をするきっかけにもなったといわれています。

レオ・キャステリはポップ・アートを世間に広めたギャラリストです。50年代末、抽象表現主義に代わる新しい美術を求めていた画商やコレクターたちは、この動きに素早く反応し、ポップ・アーティストたちを擁護しました。

画集や
美術館サイトで
作品をチェック！

▶Q162
ジャスパー・ジョーンズ
《標的と石膏》

1955
木・石膏・蜜蝋・キャンヴァス　129.5×111.8×8.8cm
レオ・キャステリ・ギャラリー、ニューヨーク

以下の資料を読み、続く設問に答えてください。

［資料］

1960年代に入ると、人間の視覚や認識に目を向けた芸術傾向の作品が多く現れてきました。オプ・アートやキネティック・アートと呼ばれる作品群もその傾向に含まれます。オプ・アートは（Ａ）がその先駆者といわれており、50年代にはヴィクトル・ヴァザルリが続きました。一方、60年代のキネティック・アートでは科学技術を応用した動きや光の現象が重視され、デュシャンやコールダーの動く物体中心の表現とは一線を画しました。

Q165　（Ａ）に該当する芸術家はだれですか。

① パウル・クレー　　　　　② ジョゼフ・アルバース
③ オスカー・シュレンマー　④ ヨハネス・イッテン

Q166　下線部の動向とはまったく違う方向で、視覚効果を追求したフォト・リアリズムがアメリカで興ります。その代表的な作家はだれですか。

① ブリジット・ライリー　　② フランソワ・モルレ
③ チャック・クローズ　　　④ ディヴィッド・ホックニー

Q167　1965年に下線部の動向を扱った展覧会の名称はなんですか。

①「ニュー・リアリツツ」展　　②「ポスト・ヒューマン」展
③「応答する眼」展　　　　　　④「サム・モア・ビギニングズ」展

Q168　下図で示したキネティック・アートの作者はだれですか。

① ニコラ・シェフェール
② ジャン・ティンゲリー
③ ナウム・ガボ
④ マックス・ベックマン

▶ Q168

正解

| Q165 ② | Q166 ③ | Q167 ③ | Q168 ① |

tag

〈年代〉1950年代〜70年代

〈時代背景〉第二次世界大戦、東西冷戦、アメリカ経済の発展、大量消費社会、ポップ・カルチャー、サイバネティクス、マクルーハン理論

〈文化的特徴〉オプ・アート、フォト・リアリズム、キネティック・アート／未来派、バウハウス、ロシア構成主義、シュルレアリスム、カラー・フィールド・ペインティング、ミニマル・アート／知的秩序の構築、科学技術の応用

解説

1950〜60年代には、鑑賞者に視覚による認識を喚起する芸術傾向が現れます。30年代にバウハウスで試されたアルバースの色彩理論を端緒とするオプ・アートは、イギリスのブリジット・ライリーらの絵画によってさらに展開しました。同じく視覚認識を問題にした動きに、60〜70年代のアメリカで興隆したフォト・リアリズムがありました。これは絵画的なイリュージョニズムを排除し、写真をそのまま写し取ったような表現が特徴です。この動きは、ヨーロッパでスーパー・リアリズムとして普及しました。一方、「動く彫刻」の系列として、キネティック・アートが挙げられます。代表的な作家にジャン・ティンゲリーがいますが、彼は水力や風力、そして科学技術を応用した動きを重視した点で、先人たちと異なりました。また、バウハウスのモホイ＝ナジによる運動と光の研究は、シェフェールに引き継がれました。この動向は、コンピュータ・テクノロジーの発展とともに、現在も新しい展開を見せています。65年には、ニューヨーク近代美術館で「応答する眼」展が開催され、「オプ・アート」の呼称と範囲を定義したとして知られています。しかし、この定義の範疇に、キネティック・アートは含まれませんでした。

画集や美術館サイトで作品をチェック！

▶ Q168
ニコラ・シェフェール
《サイバネティックな空間の力学の塔》
1961
高さ52m

以下の資料を読み、続く設問に答えてください。

[資料]

作品の物質的な側面より、それに関わる人間の意識や思索の側を重視した傾向が、コンセプチュアル・アートです。1960年代後半から世界中に広まりますが、その下地はデュシャンのレディ・メイドやジョン・ケージのハプニングなど、先行した作家たちの作品にも見られました。また、この動きは、当時の社会情勢とも無縁ではありませんでした。

Q169　下図について作者が意図した内容として、最も妥当なものはどれですか。

① 「もの」の形そのものを、展示された空間に限定した「言葉」の代わりとして用いた。

② 「もの」が持つ意味は、置かれた場所で変化することを示そうとした。

③ 「もの」に対する人間の認識システムを浮き彫りにしようとした。

④ 「もの」と「言葉」の間にある心理作用の関係を問題にした。

Q170　ダニエル・ビュレンが用いる「ストライプ柄」は、何に由来したものですか。

① フランスで一般的な日除けの柄

② 危険を知らせる標識の柄

③ フランスの国旗

④ 中世ヨーロッパにおける異端の象徴

Q171　1969年にベルンで開催された「態度が形になるとき」展のキュレーターはだれですか。

① ジョージ・マチューナス　　② セス・シーゲローブ

③ ルーシー・リパード　　④ ハラルド・ゼーマン

Q172　ヨーゼフ・ボイスは、自身がドクメンタ7で行った「7000本の樫の木プロジェクト」のような動きをなんと呼びましたか。

① パフォーマンス　　② 社会彫刻

③ イヴェント　　④ アクション

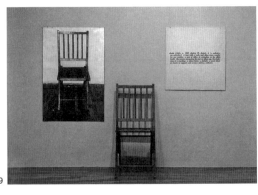

▶ Q169

正解

| Q169 | ③ | Q170 | ① | Q171 | ④ | Q172 | ② |

tag

〈年代〉1970年代〜

〈時代背景〉東西冷戦、アメリカ経済の発展、ベトナム戦争、文化大革命、スチューデント・パワー、大量消費社会、環境問題、ポップ・カルチャー、サイバネティクス、マクルーハン理論、構造主義、表象論、フェミニズム、

〈文化的特徴〉コンセプチュアル・アート、アルテ・ポーヴェラ、シュポール/シュルファス、ランド・アート（アースワーク）/フルクサス、ミニマル・アート、ネオ・ダダ、ポップ・アート/映像、ドキュメンテーション、パフォーマンス、サイト・スペシフィック、既成概念への疑問、人間の知覚・認識、ギャラリー制度の拒絶、脱ホワイト・キューブ

解説

1967年にソル・ルウィットが書いたエッセイ「コンセプチュアル・アートに関する断片」（『アートフォーラム』誌）がこの傾向のマニフェスト的存在とされます。コスースは、掲載の作品を通じ、鑑賞者に3点の見えざる関係を読み取らせ、人間が椅子というモノを知覚し、認識するシステムとプロセスを意識化させようとしました。ビュレンはありふれたストライプ柄をギャラリーの内外に描いたり、旗として内外に多数ぶら下げたりして、アートと非アートを認識させる場との関係性を提示しました。こういった芸術傾向を示し、ヨーロッパで大きな影響を与えた展覧会「態度が形になるとき」は、当時ベルン美術館のキュレーターだったゼーマンが企画しました。彼はカタログのタイトルページの冒頭に「頭の中で生きろ」という言葉を掲げます。同書には出品作家とのやりとりなども掲載し、同展を編成する過程を明らかにしました。同様の展覧会は、ニューヨークでギャラリストのシーゲローブが企画します。リパードはのちに女性作家たちによる展覧会を企画しました。ボイスの社会彫刻の概念もまた、コンセプチュアル・アートの展開ととらえられます。

画集や
美術館サイトで
作品をチェック！

▶Q169
ジョセフ・コスース
《一つの、そして三つの椅子》
1965
木製折りたたみ椅子・写真　（椅子）82×37.8×53cm、
（椅子の写真）91.5×61.1cm、（定義写真）61×76.2cm
ニューヨーク近代美術館

以下の資料を読み、続く設問に答えてください。

[資料]

1960年代後半以降、<u>美術館やギャラリーを出て、作品の新たな「場所」を発見し、自然の中や屋外空間に展開していった芸術傾向</u>が出現します。この背景にはミニマリズムの行き詰まりや、ホワイト・キューブへの批判もありました。その一方で、ホワイト・キューブに日常的な事物を設置すること、あるいは絵画の構造を解体して「もの」として展示することにより、鑑賞者の意識変革を促す芸術傾向も見られました。

Q173 下線部の代表的な作家ジェームス・タレルが、1970年代後半から米国アリゾナで着手し、現在も続けているプロジェクトはなんですか。

① 《ライトニング・フィールド》　　② 《ローデン・クレーター》
③ 《光の館》　　④ 《ブルー・プラネット・スカイ》

Q174 クリスト&ジャンヌ゠クロードが1970年代から構想し、90年代に実現させた「梱包」によって作品化された場はどこですか。

① コロラド州の谷　　② ポン・ヌフ
③ フロリダ州の島々　　④ ライヒスターク（旧ドイツ帝国国会議事堂）

Q175 下図のような芸術運動の目的として、最もふさわしいものはどれですか。

① 動く彫刻として、ギャラリー空間に生きた馬を展示した。
② 鑑賞者が環境保護について考えるよう、生きた馬をギャラリー空間に配置した。
③ 馬をギャラリー空間に配置することで、日常的に知る馬とは異なる意味を持つことに鑑賞者が気づくよう促した。
④ ギャラリーに自然物を配置することで、消費社会へのアンチテーゼとした。

Q176 シュポール／シュルファスを始めた作家はだれですか。

① クロード・ヴィアラ　　② イヴ・クライン
③ ダニエル・ビュレン　　④ ルチアーノ・ファブロ

▶ Q175

正解

| Q173 ② | Q174 ④ | Q175 ③ | Q176 ① |

tag

〈年代〉1970年代〜

〈時代背景〉東西冷戦、アメリカ経済の発展、ベトナム戦争、文化大革命、スチューデント・パワー、大量消費社会、環境問題、ポップ・カルチャー、サイバネティクス、マクルーハン理論、構造主義、表象論、フェミニズム、

〈文化的特徴〉コンセプチュアル・アート、アルテ・ポーヴェラ、シュポール／シュルファス、ランド・アート（アースワーク）／フルクサス、ミニマル・アート、ネオ・ダダ、ポップ・アート／映像、ドキュメンテーション、パフォーマンス、サイト・スペシフィック、既成概念への疑問、人間の知覚・認識、ギャラリー制度の拒絶、脱ホワイト・キューブ

解説

ランド・アート（アースワーク）は、1960年代半ば頃からミニマル・アートの行き詰まりや、美術館やギャラリーの均質で制度化されたホワイト・キューブの展示空間への批判、エコロジー回帰や環境問題への意識の高まりなどから興り、おもにアメリカで展開した芸術傾向です。タレルのライフワークともいえる《ローデン・クレーター》は、その規模の巨大さゆえに未だ進行中のプロジェクトです。ランド・アートは作品化する対象の問題から、実現まで長期間かかります。未完のプロジェクトも少なくありません。

ヤニス・クネリスは、1960年代後半に美術評論家ジェルマーノ・チェラントの提唱するアルテ・ポーヴェラ運動に参加しました。この動きでは、「日常的な事物」が持つ歴史的・個人的な多様な記憶に対し、鑑賞者が思索や意識を改革できるよう、事物の置き方や設置空間など作品を決定づける諸条件の工夫を試みました。

シュポール／シュルファスは、70年から72年にヴィアラがパリで始めた運動です。作品制作を社会の現実に位置づけ、絵画の物質的な現実も問題にしました。作品には、木枠のない布、折り重ねた布の効果を用いた形態の反復などの特徴があります。

画集や
美術館サイトで
作品をチェック！

▶ Q175
ヤニス・クネリス《無題》
ラティコ・ギャラリーでの展示風景

1969
馬
ローマ　撮影＝Giorgio Colombo

以下の資料を読み、続く設問に答えてください。

[資料]

20世紀後半の彫刻の状況は、キュビスムによって彫刻の概念が大きく塗り替えられたことを前提にしたものでした。彫刻は造られた事物そのものだけでなく、設置する空間との関係の中でも語られるようになります。同時に、作家たちは美術の根本的な存在意義を問い、自分たちが生きる時代の現実をいかに作品に反映させるかを模索していきました。

Q177 ジャコメッティについて論文を書いた哲学者はだれですか。

① ジャン＝ポール・サルトル　　② クロード・レヴィ＝ストロース
③ マルティン・ハイデッガー　　④ モーリス・メルロ＝ポンティ

Q178 下図のような石膏製の人体像で、日常の時間が静止したような情景を作り出したアメリカ人彫刻家はだれですか。

① ディヴィッド・スミス　　　② クリスト
③ ジョージ・シーガル　　　　④ ジェフ・クーンズ

Q179 1966年にニューヨークのユダヤ美術館で開催された、幾何学形態で構成された新傾向の彫刻を示した展覧会はどれですか。

① コンセプチュアル・スカルプチュア　　② プライマリー・ストラクチャーズ
③ ミニマリズム　　　　　　　　　　　　④ ニュー・ジェネレーション

Q180 下図の作品は、その設置を巡り物議を醸しました。その理由としてふさわしいものはどれですか。

① 巨大な鉄塊に不安や不快感を与えられると訴えられた。
② 予想外に小さく、住民に作家が説明した大きさとかけ離れていた。
③ アプロプリエーションの手法が用いられたが、元のイメージの著作者に流用を訴えられた。
④ ニューヨークの公共の広場に無断で設置した。

▶ Q178

▶ Q180

正解

| Q177 ① | Q178 ③ | Q179 ② | Q180 ① |

tag

〈年代〉20世紀

〈時代背景〉第二次世界大戦、東西冷戦、アメリカ経済の発展、ベトナム戦争、文化大革命、スチューデント・パワー、大量消費社会、環境問題、ポップ・カルチャー、実存主義、構造主義、表象論、フェミニズム

〈文化的特徴〉抽象彫刻、構成、ミニマル・アート、インスタレーション／ポップ・アート、ヌーヴォー・レアリスム、コンセプチュアル・アート／アサンブラージュ、単純な形態、日用品・工業製品の素材、サイト・スペシフィック、身体性、表現の多様化

解説

原爆やホロコーストなどの悲劇を生んだ第二次世界大戦は、人々に人間とは何かを考えさせることになりました。ジャコメッティは、戦争を経験した後の人間観—余分なものを削ぎ落として人間の存在の本質に迫る—を可視化したようにとらえられます。また、その彫刻が置かれた空間で、作者がいかにその対象をとらえるかという認識の根源に遡るとして、サルトルはジャコメッティに注目しました。

シーガルは1950年代から石膏彫刻を始め、60年代の初めに人体から直接型を取る手法を開発して注目を集めました。彼は雌型をそのまま作品に用いて、日常を凍結させたような情景を再現しました。人体の生々しさを感じる作品です。一方で50年代の終わりから、比較的単純で幾何学的な形態で構成される彫刻群が現れます。これらは原色（プライマリー・カラー）の彩色とミニマルな形態による構造（ストラクチャー）という傾向を持っていました。この動きを紹介しようとしたのがQ179の展覧会でした。セラもミニマル・アートの彫刻家です。《傾いた弧》ではその設置を巡り、アートと地域の関係性を考えるきっかけを与えたことで知られます。

画集や
美術館サイトで
作品をチェック！

▶ Q178
**ジョージ・シーガル
《簡易食堂》**
1964-66
石膏・木・クロム合金・メゾナイト・合成樹脂
238.1×366.4×243.8cm
ウォーカー・アートセンター、ミネアポリス

▶ Q180
**リチャード・セラ
《傾いた弧》**
1981（現存せず）
フェデラル・プラザ、ニューヨーク

小説みたいに読みやすい日本美術史の本、
何かありませんか？

私は『日本美術の歴史』が
オススメですね～。

日本美術の歴史

辻 惟雄

その語り口がもうサイコー！

辻惟雄著
『日本美術の歴史』(2005年)
東京大学出版会　2800円＋税
※2021年4月に補訂版発行

事実を列挙しただけの無味乾燥な教科書的な本ではなく、読み物としての面白さが際立つ、日本美術史通史が学べる1冊。日本史の流れに沿って、作品が生まれてきた時代背景、文化的背景について言及があり、全体のストーリーの中に各作品を位置づけることができます。また、一部の作品については事実解説のみにとどまらず、解釈が入っているところもまた魅力です。例えば、法隆寺夢殿の救世観音像の異様な迫力を表すのに、梅原猛の一文「人間の生首が抽象的な北魏様式の衣服の上にのっている」を引用するあたり、まさに秀逸！

（東京都　伊藤さん）

2 日本美術史

問題作成・執筆者
—

先史・古墳～江戸
松島仁（日本美術史家、静岡県富士山世界遺産センター教授）

明治～戦前
荒木和、藤田麻希（美術ライター）

戦後～1970年代
暮沢剛巳（美術評論家、東京工科大デザイン学部教授）
小金沢智（キュレーター、東北芸術工科大学芸術学部美術科日本画コース専任講師、
　武蔵野美術大学造形学部日本画学科非常勤講師）

01 先史・古墳時代の美術

以下の資料を読み、続く設問に答えてください。

[資料]

縄文時代から古墳時代にかけては、日本文化の黎明期です。世界最古の縄文土器の時代を経て、中国大陸からの影響も受けながら、各地に国が形成されていきました。縄文土器は昭和時代にその独創的な芸術性が再び注目を浴びました。過去の美術史は、現在もなお、発掘と研究によって更新され続けています。また、近年では、過去の文物を各地固有の記憶として掘り起こし、現代の美術につなぐ作家たちも現れています。

Q181 下図は青森県にある縄文時代の遺跡ですが、その名称はなんですか。

① 大森貝塚   ② 吉野ケ里遺跡

③ 登呂遺跡   ④ 三内丸山遺跡

Q182 戦後に、下線部のきっかけとなった芸術家はだれですか。

① 八木一夫   ② 岡本太郎

③ 吉原治良   ④ 関根伸夫

Q183 朝鮮半島から伝承した、窯を用いて堅く焼きしめる土器をなんと呼びますか。

① 土師器   ② 須恵器

③ 漆器   ④ 青銅器

Q184 福岡県にある竹原古墳に描かれた具象画は何をもとにしたものですか。

① 日本の神話   ② 古代朝鮮の歴史

③ クシャン朝の伝説   ④ 古代中国の説話

▶ Q181

正解

Q181 ④   Q182 ②   Q183 ②   Q184 ④

tag

〈年代〉BC1万5000年頃～8世紀初頭

〈時代背景〉集落の成立、農耕社会の成立、支配者の出現、集落の大規模化

〈文化的特徴〉縄文・弥生・古墳時代の美術／中国大陸の文化、朝鮮半島の文化／祈りの造形、縄文土器、土偶、弥生土器、金属器文化、墳丘墓の建設、装飾古墳、埴輪、須恵器

解説

三内丸山遺跡は、1992年から発掘された縄文時代の遺跡で、直径1m近い柱を使った建物跡も発見されました。ここには約6000年前から1000年間にわたって人々が定住していました。この時代の美的特質は、縄文土器にも象徴されます。当時の文様の付け方は2つに大別され、1つは縄や貝殻、木、竹などを器面に押し付けたり、回転させたりして文様を施す方法でした。もう1つは土器の上に粘土を貼り付けていく立体的な装飾方法で、貼り付け文と呼ばれ、火焔型土器などが代表です。縄文土器について「荒々しい、不協和な形態、文様に心構えなしにふれると、だれでもドキッとする」と、芸術的価値を熱く語ったのは、岡本太郎でした（「縄文土器論―四次元との対話」、『みづゑ』1952年2月）。縄文土器はそれまで美術品として語られることは珍しく、岡本の見方は大きな反響を呼びました。弥生時代以降の陶器では火に強い土師器や、古墳時代後期に朝鮮から製法が伝来した須恵器があります。この陶器は、洗練されたデザインが多く、おもに古墳の副葬品や儀式用に用いられたようです。古墳時代の美術の例では、5世紀後半から九州に出現した装飾古墳に描かれた絵があります。絵のモチーフは古代中国の説話に基づくものです。

画集や
美術館サイトで
作品をチェック！

▶ Q181
三内丸山遺跡
掘立柱建築と大型竪穴式住居

BC5500-BC4000（縄文時代前期～中期・復元）
青森県文化財保護課

02 古代美術1（飛鳥・白鳳・天平時代）

以下の資料を読み、続く設問に答えてください。

[資料]

538年（一説では522年頃）、百済の聖明王から日本へ仏教と経典が贈られ、日本の仏教文化が始まります。大化の改新の頃には、仏教は豪族たちへ急速に普及し、飛鳥寺や法隆寺などが建立されました。白鳳時代に入ると、再興した法隆寺金堂には仏教を主題にした初唐風の壁画、朝鮮半島の影響が見られる高松塚古墳の壁画などが出現します。これら遺物や遺構から、当時の思潮や制作技法がわかります。

Q185 下図の須弥座に描かれた絵はなんと呼ばれますか。
① 施身聞偈図
② 須弥山世界図
③ 摩訶薩埵図
④ 捨身飼虎図

Q186 Q185のように同一画面に異なった瞬間を連続的に描く画法をなんと呼びますか。
① 連続画法
② 異時同図法
③ 三一致法
④ 多視点画報

Q187 中宮寺の本尊のポーズはなんといいますか。
① 結跏趺坐
② 半跏趺坐
③ 輪王坐
④ 遊戯坐

Q188 《天寿国繍帳》はどの技法によって制作されていますか。
① 螺鈿
② 蒔絵
③ 錦絵
④ 刺繍

▶ Q185・186

正解

Q185 ④　　Q186 ②　　Q187 ②　　Q188 ④

tag

〈年代〉6〜8世紀

〈時代背景〉律令制、仏教伝来、仏教文化、国分寺・国分尼寺の建立、遣隋使、遣唐使、中国・朝鮮文化、シルクロード文化

〈文化的特徴〉飛鳥・白鳳・天平時代の美術／隋・唐文化、朝鮮半島の文化、シルクロード文化／飛鳥仏、白鳳仏、仏画、異時同図法、壁画、仏教工芸

解説

飛鳥から天平時代の絵画は、仏教色濃厚な文化の性質を反映し、ほとんどが仏教を主題にしています。法隆寺の《玉虫厨子》の須弥座腰板4面には、飛鳥時代の絵画が残っています。その主題の「捨身飼虎」とは、釈迦の前世である王子・摩訶薩埵が飢えた虎の母子のため自ら断崖から身を投げて虎の餌食となったという『牝虎本生』に基づいた説話です。「捨身飼虎」は広くアジア全般の仏教絵画に描かれ、日本の玉虫厨子のほか、インド・マトゥーラの浮彫、中央アジア・キジルや中国・敦煌の石窟寺院壁画にも見られます。この絵画には、1つの画面の中に、異なった時間の場面を複数回登場させ、時間の流れを表す描写法、通称「異時同図法」が用いられました。異時同図法は東洋、西洋を問わず広く認めることができ、日本ではほかに、《信貴山縁起絵巻》(朝護孫子寺)などの絵巻物によく応用されます。一方、仏像では朝鮮半島からの影響に加え、白鳳時代に入ると唐を経由したインド・グプタ様式の影響が見られます。白鳳仏を代表する、中宮寺の《弥勒菩薩像》のプロポーションはグプタ様式、半跏趺坐は当時朝鮮で流行したスタイルです。中宮寺には、聖徳太子の往生の様子を刺繍で表した絵画《天寿国繍帳》も所蔵されています。

画集や
美術館サイトで
作品をチェック!

▶ Q185・186
《捨身飼虎図》(玉虫厨子須弥座腰板絵)

7世紀
板地着彩
法隆寺、奈良

以下の資料を読み、続く設問に答えてください。

［資料］

710年の奈良遷都から都が京都に移るまでの約80年は、文化史では天平時代と呼びます。遣唐使たちが持ち帰った唐文化の影響が濃いのがこの時代の特色です。奈良には興福寺や東大寺、唐招提寺などの大規模寺院の造営が相次ぎました。また、仏像にも新たな造仏技術が加わり、より表情豊かな仏像や大型の仏像が造仏されるようになりました。

Q189 下図の像の人物について説明した文章で、正しいものはどれですか。

① 日本初の本格的な仏教寺院である飛鳥寺を建立した。

② 授戒制度を整え、唐招提寺を建立した。

③ 宇治の別荘を寺に改め、平等院を建立した。

④『往生要集』を著し、来世へ往生する手段を用いた。

Q190 興福寺の《阿修羅像》は、次のどの技法で造立されましたか。

① 塑像   ② 木心乾漆造

③ 脱活乾漆造   ④ 寄木造

Q191 日本の意匠と高度な職人の技によって発展し、法隆寺や正倉院の宝物としてもその遺品が伝えられた工芸品はどれですか。

①《白瑠璃碗》   ②《銅編鐘》

③《金鏤玉衣》   ④《汝窯青磁水仙盆》

Q192 天平の名筆とはだれですか。

① 聖武天皇   ② 王羲之

③ 聖徳太子   ④ 嵯峨天皇

▶ Q189

正解

| Q189 ② | Q190 ③ | Q191 ① | Q192 ① |

tag

〈年代〉6〜8世紀

〈時代背景〉律令制、仏教伝来、仏教文化、国分寺・国分尼寺の建立、遣隋使、遣唐使、中国・朝鮮文化、シルクロード文化

〈文化的特徴〉飛鳥・白鳳・天平時代の美術／隋・唐文化、朝鮮半島の文化、シルクロード文化／飛鳥仏、白鳳仏、仏画、異時同図法、壁画、仏教工芸

解説

唐の高僧・鑑真は正統的な仏教を日本へ伝えるため、754(天平勝宝6)年には平城京に上ります。鑑真は孝謙天皇や聖武上皇以下の熱烈な帰依を受け、授戒制度を整えました。758(天平宝字2)年、孝謙天皇から平城京内に土地を拝領し、唐招提寺を建立しました。鑑真の入寂後、造営事業は弟子たちに引き継がれ、8世紀半ばには金堂、9世紀には五重塔が完成して伽藍が整備されました。

《阿修羅像》はじめ興福寺の《八部衆像》は、脱活乾漆造により造られました。これは、天平期前半の仏像に多く用いられた技法です。後半になると木心乾漆造も現れました。ほかに法隆寺の五重塔の塑像群は人間らしい表情をたたえた仏像として知られています。正倉院宝物には、中国・唐王朝やササン朝ペルシアをはじめ、アジア全域の文物が含まれることから、正倉院は「シルクロードの終点」ともいわれます。とりわけペルシアの玻璃器(ガラス)は、当時の高度な技術と東西交流がうかがい知れる貴重な遺品で、白瑠璃碗や瑠璃坏などいくつかの名品が正倉院に伝わります。この時代には文書行政の完備から、書が急速に普及したことも特徴です。

画集や
美術館サイトで
作品をチェック!

▶Q189
《鑑真和上像》
8世紀
脱活乾漆造・彩色　高さ80.1cm
唐招提寺、奈良　国宝

03 古代美術2（平安時代）

以下の資料を読み、続く設問に答えてください。

［資料］

インドを起源とした仏教の宗派である密教は、唐時代の中国で隆盛を極めました。空海は9世紀に唐に留学し、宗派の正統な流れを継承しました。両界曼荼羅と真言五祖像を授けられて帰国した空海は、日本に密教（真言宗）を伝えました。一方、同じく唐で密教を学んだ最澄も天台や禅も含めた総合的な教えを日本に持ち帰りました。これらの動きにより、平安時代前半には密教文化が花開きました。

Q193 曼荼羅の語源となった、サンスクリット語の「マンダラ」の本来の意味はどれですか。

① 方形　　　　　　② 星形
③ 三角　　　　　　④ 円輪

Q194 曼荼羅の説明として最もふさわしいものはどれですか。

① 弥勒菩薩が衆生を救うためにこの世に下生する姿を表すもの。
② 密教において、諸仏が集まる様子を図式的に表す。
③ 神仏習合の思想を表す造形である。
④ 釈迦の伝説を説いた経典である。

Q195 下図の冊子箱にあしらわれている文様はなんと呼びますか。

① 宝相華　　　　　② 金雲
③ 団花文　　　　　④ 花喰鳥文

Q196 平安時代初期の3人の能書家を「三筆」といいますが、その1人で弘法大師といわれるのはだれですか。

① 最澄
② 嵯峨天皇
③ 空海
④ 小野道風

▶ Q195

正解

| Q193 ④ | Q194 ② | Q195 ① | Q196 ③ |

tag

〈年代〉9〜12世紀

〈時代背景〉長岡京・平安遷都、律令制、遣唐使、密教、神仏習合、浄土信仰

〈文化的特徴〉平安時代前期の美術／唐文化、朝鮮半島の文化／密教寺院、神社の本殿形式、一木造、檀像、曼荼羅、密教絵画、三蹟と三筆、密教法具、蒔絵

解説

マンダラは一定の決まりのもとに諸尊の集まりを描いたもので、密教の修法の本尊として使用されます。絵画以外で表現する例もあり、インドでは野外に壇を築いてこの上に像を配置し、これをマンダラと称していました。また、曼荼羅は、菩提(悟り)の境地を表現するものです。Q194の①は「弥勒来迎図」についての説明です。密教が隆盛した時代には、仏具の制作も盛んになりました。それらを飾るためによく使われたモチーフの1つが「宝相華」です。東洋の広い地域で装飾文様に表される、空想上の花のモチーフといわれています。宝相とは仏が光り輝くことを示す言葉です。正倉院宝物の《螺鈿紫檀五絃琵琶》にも宝相華文様が施されています。「弘法大師」とは空海の諡号です。空海は中国に留学した折に複数の書体を学び、装飾的で穏やかな書風を確立しました。遺品には《風信帖》(東寺)などがあります。この空海と橘逸勢、嵯峨天皇の中国書法を基盤にしていた3人を、のちの人は「三筆」と呼んで讃えたのです。

画集や美術館サイトで作品をチェック！

▶Q195
《宝相華迦陵頻伽蒔絵冊子箱》

10世紀(平安時代後期)
漆塗　37×24.4×高さ8.3cm
仁和寺、京都　国宝

以下の資料を読み、続く設問に答えてください。

[資料]

密教が興隆した9世紀には、やはり唐から請来した文物が流行します。その一方で、<u>日本古来の神道と、もとは異国の宗教だった仏教の思想や教えを融合した信仰体系</u>もつくられていきました。また、7世紀頃からすでに存在していた浄土信仰も10世紀になると、次第に影響を増していきました。

Q197　芳香を放つ香木を素材とする小さい仏像をなんと称しますか。

① 香像
② 芳像
③ 檀像
④ 霊像

Q198　下線部の思潮はなんと呼ばれていますか。

① 廃仏毀釈
② 神仏習合
③ 修験道
④ 浄土思想

Q199　釈迦の入滅の情景を扱った絵画をなんと呼びますか。

① 涅槃図
② 本生図 <small>ほんじょう</small>
③ 天空図
④ 曼荼羅

Q200　下図は『平家納経』の一部です。これはどこに奉納されたものですか。

① 出雲大社
② 吉備津神社
③ 赤間神宮
④ 厳島神社

▶ Q200

正解

| Q197 ③ | Q198 ② | Q199 ① | Q200 ④ |

tag

〈年代〉9～12世紀

〈時代背景〉摂関政治、院政、遣唐使の廃止、交通の発達、貨幣の流通、浄土信仰、神仏習合、末法思想、国風文化、地方文化の充実、かなの発達

〈文化的特徴〉平安時代後期の美術／唐文化、朝鮮半島の文化／和様化、定朝様式、寄木造、仏画、やまと絵、絵巻、工芸意匠の和様化、過差・風流、寝殿造

解説

檀像は、おもに白檀などの香木を素材とする仏像で、目・唇・髪など以外は彩色を施さないことや、精巧な彫り、小型サイズを特徴とします。その制作は、唐からもたらされた像に倣い平安時代前期に流行しました。この時代には、次第に神道と仏教を折衷・融合した「神仏習合」の信仰も明確になり、明治初期の神仏分離に至るまで続きました。神仏習合思想では、神も人間と同様に宿業を持ち、解脱を仏法に求めるとされます。そのため、八幡神も薬師寺の《僧形八幡神・神功皇后・仲津姫》の八幡坐像のように、出家僧の姿で表現されました。

涅槃図は釈迦の入滅を描いた情景ですが、末法思想から寺院や貴族間で行われた"涅槃会"の際に大幅の図が法会の場に掛けられました。その代表例は高野山金剛峯寺伝来の《仏涅槃図》(応徳涅槃図)です。釈迦の亡がらを囲む菩薩たちや上空の摩耶夫人をはじめ、人物描写や構図、素描力や彩色技法が非常に高い名作です。

厳島神社が文献の中に初めて登場するのは9世紀初頭ですが、現在の景観は平清盛によって整えられたもので、33巻からなる《平家納経》も同じ頃に納められました。これは現世の栄華と極楽往生を願って平清盛によって発願されました。

画集や美術館サイトで作品をチェック!

▶Q200
《平家納経》
(薬王菩薩本事品見返絵)

1164(長寛2)
紙本墨書(見返絵=紙本著色)
見返26×29.5cm、本紙26×376.1cm
厳島神社、広島 国宝

以下の資料を読み、続く設問に答えてください。

[資料]

中国風の文化が流行した平安時代前期に比べ、藤原摂関家が権力を掌握した後期は、「国風文化」の創成期ともいわれ、文化の諸方面での和様化が著しく進みました。それは唐の文化が求心力を失い、周縁である日本の文化が自立性を持った結果でもあります。文化の和様化は美術にも認められ、仏教彫刻や典雅な寝殿造にも見られました。また、絵画ではやまと絵が誕生し、華麗な絵巻も制作されました。

Q201 平等院鳳凰堂に安置されている阿弥陀仏の手の形は、次のうちのどれですか。

① 説法印
② 智拳印
③ 合掌印
④ 定印

Q202 次のうち和様化された表現による12世紀の院政期仏画はどれですか。

①《両界曼荼羅》(東寺)
②《普賢菩薩像》(東京国立博物館)
③《十二天像》(西大寺)
④《吉祥天像》(薬師寺)

Q203 次のうち「やまと絵」に分類される作品はどれですか。

① 相阿弥《瀟湘八景図襖絵》(大仙院・京都)
②《浜松図屏風》(東京国立博物館)
③ 明兆《達磨・蝦蟇・鉄拐図》(東福寺・京都)
④ 伝周文《竹斎読書図》(東京国立博物館)

Q204 現存する絵巻ではわが国最古のものとされるのは、次のどのカテゴリーに分類される絵巻ですか。

① 合戦絵巻
② 物語絵巻
③ 縁起絵巻
④ 年中行事絵巻

正解

| Q201 ④ | Q202 ② | Q203 ② | Q204 ② |

tag

〈年代〉9〜12世紀

〈時代背景〉摂関政治、院政、遣唐使の廃止、交通の発達、貨幣の流通、浄土信仰、神仏習合、末法思想、国風文化、地方文化の充実、かなの発達

〈文化的特徴〉平安時代後期の美術／唐文化、朝鮮半島の文化／和様化、定朝様式、寄木造、仏画、やまと絵、絵巻、工芸意匠の和様化、過差・風流、寝殿造

解説

印相とは、両手の形によってある意味を表現する、仏教とヒンドゥー教で用いられる用語です。阿弥陀如来は親指と人差し指によって輪を作るのが基本です。このような点は継承しながらも、平安時代後期には、文化のあらゆる分野で中国大陸の影響を離れた日本独自の表現が育まれ、それは「唐様」に対し「和様」と呼ばれます。美術の和様化の影響は仏教美術にも及び、とくに12世紀には、院政期の洗練された美意識のもと優美で穏やかな仏画が制作されます。《普賢菩薩像》や《虚空蔵菩薩像》（ともに東京国立博物館）は、その代表例です。仏画以外の絵画も和様化します。「やまと絵」とは、土坡（小高く盛り上がった地面）や水流、雲霞を応用し平面的かつ並列的な描き方で日本の風景や風俗などを描いた絵画のことをいい、奥行きのある構築的な技法により中国の風景・風俗を描いた「唐絵」の対概念です。《浜松図屏風》は平安時代やまと絵の系譜に位置する室町時代の作品です。わが国最古といわれる絵巻は、《源氏物語絵巻》です。同作は12世紀前半頃の作品と推定されており、紫式部が著した『源氏物語』を絵画化したものです。現在徳川美術館と五島美術館に収蔵されているものは全体の一部と考えられ、彩色も褪せていますが、私たちを魅了するに十分な魅力があります。

04　中世美術1（鎌倉時代）

以下の資料を読み、続く設問に答えてください。

［資料］

鎌倉時代は歴史上の変革を反映し、新しい多様な美術が花開きます。平安時代から普及した神仏習合思想や浄土信仰に加え、中国の宋から禅宗が入ってきました。美術では、初期の南都復興に際し、建築では大仏様が、仏像では慶派が新しい造形をつくりだしました。新しく入ってきた禅宗でも独自の建築や絵画様式が展開していきます。

Q205　下図のような仏画が成立した背景として、最もふさわしいものはどれですか。

① 7世紀初め、豪族が競って氏寺を建立し、仏像や仏画も盛んに制作されるようになった。
② 聖武天皇が東大寺を造営し、奈良が仏教の中心地となった。
③ 平安時代前期、唐伝来の密教画を手本に日本でも密教の絵画や彫刻が多数制作された。
④ 末法思想の流行で、功徳を積めば救われると信じた人々が多くの仏像や仏画を制作した。

Q206　大仏様（天竺様）の建築様式を用いた建物はどれですか。

① 浄土寺浄土堂（阿弥陀堂）　② 中尊寺金色堂
③ 法隆寺金堂　④ 興福寺北円堂

Q207　禅僧の肖像画をなんと呼びますか。

① 僧画　② 頂相
③ 似絵　④ 大首絵

Q208　《春日宮曼荼羅図》のような絵画は、次のどのジャンルに類別されますか。

① 垂迹画　② 来迎図
③ 縁起絵　④ 楼閣山水図

▶ Q205

正解

| Q205 ④ | Q206 ① | Q207 ② | Q208 ① |

tag

〈年代〉12世紀末〜14世紀

〈時代背景〉鎌倉幕府、武家文化への移行、南都復興、仏教の多宗派化、禅宗、中国僧の来日、禅林の形成

〈文化的特徴〉鎌倉時代の美術／宋文化／大仏様、慶派彫刻、宋風彫刻、肖像彫刻、彫像、似絵、頂像、垂迹画、やまと絵、絵巻

解説

挿図のような「阿弥陀来迎図」は、臨終に際して阿弥陀の来迎を祈念した絵画で、浄土信仰の普及にともない平安から鎌倉時代にかけて盛んに制作されました。初期に如来は正面から描かれましたが、次第に斜めから描かれるようになりました。鎌倉時代は中国から再び文化が流入しました。源平の騒乱の中、焼き討ちにあった南都（奈良）では復興に際し、興福寺は檀越の藤原氏が財政支援をしましたが、東大寺は広く勧進（共同募金）をし、途中から源頼朝の援助を受けました。これら復興の大勧進を務めたのは宋帰りの重源です。彼は中国人の技術者を起用して、最新の鋳造法で仏像を造り、新しい建築様式の大仏様で大仏殿や講堂を建立しました。また、多くの仏像制作は慶派仏師に委嘱し、造仏に力強く新しい造形の流れを生み出しました。また、中国から帰国した栄西や道元によって禅宗とその制度が移植され、建築では禅宗様、絵画では頂相が定着していきました。鎌倉時代の神仏習合信仰では、本地仏を密教の曼荼羅のように配した本地曼荼羅や、俯瞰した風景の中に神社の社殿を配し、時に本地仏も描く《春日宮曼荼羅図》のような宮曼荼羅など、本地垂迹説に基づく垂迹画が制作されます。

画集や
美術館サイトで
作品をチェック！

▶ Q205
《阿弥陀聖衆来迎図》

12世紀
絹本著色、3幅　中央210.9×210.7cm、
左211.1×106cm、右211.2×106.1cm
高野山有志八幡講十八箇院（高野山霊宝館寄託）、和歌山　国宝

以下の資料を読み、続く設問に答えてください。

［資料］

新しい美術が花開いた鎌倉時代には、絵画分野でも発展とバリエーションの広がりが現れました。平安時代から盛んになった絵巻では、合戦絵や寺社縁起、高僧絵伝といった新たな題材へと広がりを見せました。肖像画の分野では、禅宗の高僧を描いた頂相や貴人たちの肖像を描いた似絵が流行し、南北朝時代まで続きました。

Q209　《餓鬼草紙》に反映されている六道輪廻思想として、最もふさわしい説明はどれですか。

① 「過差」「風流」の語に象徴される、美麗なもの、過剰なものをよしとする考え方。

② 自らの業により生死を繰り返すが、迷いを断ち切り解脱を得られるとする考え方。

③ 日本の神々は、本地仏が人々を救済するために姿を変えて現れたとする考え方。

④ インド仏教の多様な思想を統合した、神秘的な性格の強い教えのこと。

Q210　次の絵巻のうち、寺社の興りを描いたものはどれですか。

① 《北野天神縁起絵巻》　　② 《一遍上人伝絵巻》

③ 《平治物語絵巻》　　④ 《信貴山縁起絵巻》

Q211　下図の《随身庭騎絵巻》を描いたと伝えられる絵師はだれですか。

① 藤原隆信　　② 藤原信実

③ 藤原佐理　　④ 藤原行成

Q212　次の用語と読み方の組み合わせで正しいものはどれですか。

① 紙本―かみほん　　② 絵所―えしょ

③ 唐絵―とうえ　　④ 月次絵―つきなみえ

▶ Q211

正解

| Q209 | ② | Q210 | ① | Q211 | ② | Q212 | ④ |

tag

〈年代〉12世紀末〜14世紀

〈時代背景〉鎌倉幕府、武家文化への移行、南都復興、仏教の多宗派化、禅宗、中国僧の来日、禅林の形成

〈文化的特徴〉鎌倉時代の美術／宋文化／大仏様、慶派彫刻、宋風彫刻、肖像彫刻、彫像、似絵、頂像、垂迹画、やまと絵、絵巻

解説

《餓鬼草紙》は、餓鬼の世界を主題にした絵草紙です。平安時代末期、鎌倉時代へと移行する社会の不安定な情勢を反映して、六道輪廻思想が流行りました。絵巻では平安時代の王朝絵巻の系統を引き継いだものもありますが、画風や題材は多様化しました。《伊勢物語絵巻》のように大胆な構図によるデザイン化されたものも現れます。題材では、寺社の由来や高僧の伝記をビジュアル化した寺社縁起や高僧絵伝が多く制作されます。前者では《清水寺縁起絵巻》や《北野天神縁起絵巻》、後者では、細やかな筆致とユーモラスな場面がある《一遍上人伝絵巻》は有名です。凄惨な戦闘シーンも描かれた《平治物語絵巻》のように、戦も絵物語化されました。

鎌倉時代の絵画としては、肖像画にも特徴があります。藤原隆信・信実父子により「似絵」と呼ばれる、対象を理想化せず写すような描写の肖像が確立されました。月次絵では12カ月の各月の風物などが順に描かれます。自然の風景を背景に各月に行われる行事や風俗を描くことによって特定の時期が表現されており、その内容に合った和歌が貼り付けられることもあります。

画集や美術館サイトで作品をチェック！

▶ Q211
伝藤原信実
《随身庭騎絵巻》（部分）

13世紀
紙本淡彩　28.6×236.4cm
大倉集古館、東京　国宝

05 中世美術2（南北朝・室町時代）

以下の資料を読み、続く設問に答えてください。

［資料］

南北朝時代は後醍醐天皇の建武の新政から始まりますが、混乱した社会でした。しかし、その中で新しい文化が芽吹きます。1つは新たに政権を握った武士たちの中から現れた、バサラ大名たちによる斬新な美意識です。もう1つは京都と鎌倉の五山を中心にした禅宗社会による動きです。五山はさながら中国の支店のような存在として、宋元の新しい絵画ややきものなどの受け入れ窓口を果たしました。

Q213 バサラ大名たちが贈り物に用いた「唐物」としてふさわしいものはどれですか。

① 蒔絵手箱　　　　　　② 常滑焼の大壺

③ 螺鈿鞍　　　　　　　④ 青磁

Q214 14世紀の日本人画僧で、中国に渡り同地で客死した人物が描いた作品はどれですか。

①《明恵上人像》　　　　②《蘭渓道隆像》

③《四睡図》　　　　　　④《竹雀図》

Q215 下図は南北朝時代に日本に伝えられた水墨画です。作者はだれですか。

① 范寛　　　　　　　　② 郭熙

③ 董源　　　　　　　　④ 牧谿

Q216 南北朝時代の絵巻物《慕帰絵》の説明として、ふさわしいものはどれですか。

① 浄土真宗の僧、覚如の実績を、彩色を控えめにして勢いのある筆致で描いた伝記。

② 春日権現の奇跡を、鮮やかな色彩と緻密な構成と筆致で描いた霊験記。

③ 月と太陽、在地の民と巡礼者などの対立を主軸に熊野の霊験も語る案内図。

④ 自由奔放な構図と描線、原色などで構成された、人柱伝説を含む説話。

▶ Q215

正解

| Q213 ④ | Q214 ③ | Q215 ④ | Q216 ① |

tag

〈年代〉14〜15世紀

〈時代背景〉建武の新政、南朝・北朝体制、禅林の形成、バサラ大名、富裕な町衆の出現、相国寺、大徳寺

〈文化的特徴〉南北朝時代の美術／宋元文化、鎌倉時代の美術／会所の美術、詩画軸、水墨画、唐物

解説

バサラとは南北朝時代の新しい美意識や流行の装いを評する言葉で、サンスクリット語に由来します。伝統的な固定観念を逸脱する美意識で、南北朝時代に新政権を握った武家たち、佐々木道誉らが体現者となりました。彼らは豪奢な邸宅で闘茶や連歌会などの遊びを催し、その場に青磁や堆朱、水墨画など中国からの輸入品「唐物」をはじめとする、高価な品が賜物とされました。Q213の①②③は国産品です。

禅林では、鎌倉時代の終わり頃から画僧たちが中国から入ってきた水墨画を描き始めます。Q214の③の黙庵もその1人で、高い技術を持ち、水墨による道釈画を描きました。14世紀初頭に中国へ渡り、禅宗諸寺の高僧らを歴訪し同地で没しています。一方、牧谿は、南宋末期から元初期の画僧です。鎌倉時代後期から作品が国内にもたらされ、日本の水墨画に大きな影響を与えました。挿図には、観音に「道有」印、猿・鶴に「天山」印と、足利義満の収集品であったことを示す鑑蔵印が押されています。

《慕帰絵》を描いた藤原隆章と隆昌は、それまで緻密な絵画が主流だった宮廷絵師の世界で、次の時代を予感させる画風に至りました。

画集や
美術館サイトで
作品をチェック！

▶ Q215

牧谿《観音猿鶴図》

13世紀（南宋）

三幅対、絹本墨画淡彩、（観音図）172.2×98.8cm、（猿図）173.9×98.8cm、（鶴図）173.9×98.8cm

大徳寺、京都　国宝

以下の資料を読み、続く設問に答えてください。

[資料]

南北朝合体を主導し、天皇をも凌ぐ絶対的な権力を手にした3代将軍足利義満は、自らを頂点とした新しい文化システムを構築しました。王朝世界で育まれてきた「和」の文化領域が将軍家本位に再編される一方で、日明貿易を独占して唐物を「漢」の文化の中心に据えました。のちに8代将軍となった義政は、文化による将軍の権威の再生を図ります。室町美術の制度や表現は、この2人の治世に代表されるといえるでしょう。

Q 217 足利義満が造営した北山殿には、唐物を飾るスペースが設けられました。それはなんという建物ですか。

① 金閣 　　　　　　　　 ② 銀閣
③ 寝殿 　　　　　　　　 ④ 会所

Q 218 将軍の「同朋衆」の説明として、ふさわしいものはどれですか。

① 造園は仕事の範囲外だった。
② 歴代の足利将軍に仕えた三阿弥は、私淑の関係である。
③ 能阿弥・芸阿弥は水墨画の名手である。
④ 京都で芸術村のような組織をつくり、若手育成をした。

Q 219 義政が所持した《春日山蒔絵硯箱》の図柄は、どの和歌集の和歌から表しましたか。

① 万葉集 　　　　　　　 ② 古今和歌集
③ 新古今和歌集 　　　　 ④ 百人一首

Q 220 下図の茶碗は、室町時代に絶賛されたものです。現在どの美術館に所蔵されていますか。

① 日本民藝館 　　　　　 ② 静嘉堂文庫美術館
③ 五島美術館 　　　　　 ④ 大倉集古館

▶ Q220

正解

Q217 ④	Q218 ③	Q219 ②	Q220 ②

tag

〈年代〉15〜16世紀

〈時代背景〉室町幕府、日明貿易、貨幣経済の普及、運送業の発達、禅林の形成、相国寺、大徳寺、美術制度の設置、能、茶の湯、生け花、応仁の乱、町衆文化、美術マーケットの拡大・多様化

〈文化的特徴〉室町時代の美術／明文化／寄合の芸術、会所の美術、唐絵、やまと絵、花鳥図屏風、扇面画、漆芸の洗練、書院造、枯山水

解説

北山殿には、伝統的な寝殿の奥に、2階建ての会所、3階建ての金閣が建設されました。義満は政治的・文化的権威を誇示するため、1408（応永15）年、北山殿に後小松天皇の行幸を仰ぎます。このとき寝殿まわりには蒔絵の硯箱など和物を飾り、会所には陶磁器、銅器、水墨画などの唐物を陳列しました。その将軍家の芸術顧問的な役割を務めた同朋衆は、僧体帯刀の技能者で、阿弥号を用いました。とくに能阿弥、芸阿弥、相阿弥の3代は、代々足利将軍家に重用され、画技にも長じていました。

鎌倉時代に精緻化した工芸は、室町に入りさらに発展します。《春日山蒔絵硯箱》は、『古今和歌集』所載の壬生忠岑の和歌「山里は秋こそことにわびしけれ鹿のなく音に目をさましつつ」の歌意を意匠化したものです。しかし、蓋裏に表された鹿の音を聞く人物は、書斎図などの水墨画中の隠者に通じ、構図も中国絵画の対角線構図を採り入れるなど、「和」と「漢」が重なり合う、室町時代の文化動向を示します。16世紀初め頃に著された『君台観左右帳記』は、曜変天目茶碗を「一　曜変、建盞の内の無上也。世上になき物也」と高く評価しました。現在、《曜変天目茶碗》は、掲載したものを含む3点が世界で確認されています。ほか2点は藤田美術館、大徳寺竜光院に所属します。

画集や
美術館サイトで
作品をチェック！

▶ Q220
《曜変天目茶碗》
（稲葉天目）

12-13世紀（南宋）
中国建窯　高さ7.2cm、口径12.2cm、高台径3.8cm
静嘉堂文庫美術館、東京　国宝

以下の資料を読み、続く設問に答えてください。

［資料］

室町時代の絵画では、北山文化期にやまと絵は新しい様式によって絵巻などが量産されます。水墨画は輸入もされますが、日本の画僧たちによって国内でも発展します。室町後期になると、都で文化を享受していた大名たちが領国へ戻り、地方で文化振興に努めるようになりました。また、禅宗寺院に代わり富裕な町衆が美術のパトロンになり、和漢にわたり幅広い絵画を手がけた狩野派の発展に結びつきます。

Q221 下図の作者が、応仁の乱以降に確立させた絵画の流派はどれですか。

① 土佐派　　　　　　② 相国寺派
③ 狩野派　　　　　　④ 住吉派

Q222 東洋の絵画で画面の中に書かれた詩や文章をなんと呼びますか。

① 賛（画賛）　　　　② 画中文字
③ 解説　　　　　　　④ 詞書

Q223 下線部について、雪舟等楊が描いた《四季山水図（山水長巻）》は、中国のある画家の様式を踏襲しています。その画家とはだれですか。

① 馬遠　　　　　　　② 夏珪
③ 牧谿　　　　　　　④ 玉澗

Q224 下図の《呂洞賓図》の作者はだれですか。

① 明兆　　　　　　　② 雪村周継
③ 周文　　　　　　　④ 狩野元信

▶Q221

▶Q224

正解

| Q221 | ① | Q222 | ① | Q223 | ② | Q224 | ② |

tag

〈年代〉15〜16世紀

〈時代背景〉室町幕府、日明貿易、貨幣経済の普及、運送業の発達、禅林の形成、相国寺、大徳寺、美術制度の設置、能、茶の湯、生け花、応仁の乱、町衆文化、美術マーケットの拡大・多様化

〈文化的特徴〉室町時代の美術／明文化／寄合の芸術、会所の美術、唐絵、やまと絵、花鳥図屏風、扇面画、漆芸の洗練、書院造、枯山水

解説

朝廷の機関である「絵所」は「画所」とも書き、世俗画の制作や、宮廷の建築調度の彩色を担当しました。土佐行広の絵所預就任後は、ほぼ幕末まで土佐派が世襲します。室町後期の光信は、その清新なやまと絵様式により知られています。
山口で活躍した雪舟等楊は、明で本格的な水墨画を体得後、《秋冬山水図》（東京国立博物館）のような激しく硬質な筆致による構築性に富んだ山水画風を確立します。《四季山水図》は、室町時代の日本で規範とされた南宋の宮廷画家・夏珪に倣った代表作で、自身を庇護した周防の大内家に献上されました。雪舟の流れを汲む雪村周継は、戦国時代の画僧で常陸（茨城県）の大名佐竹家の出身。中国宋元画に学びつつ、ほぼ独学で画業を完成します。50歳代にして常陸を離れ、東国各地を遍歴し80歳を超える長寿を保ちました。挿図に見られるような柔らかい筆墨による独特の画風は、"気"を孕みつつも穏やかな遊び心に富んでいます。
なお、詩画軸にも見られる賛とは、絵画に添えて書き込まれた詩や文章のこと。自賛として画家自身が書く場合や、絵画の所有者（依頼主）や高名な僧侶や公家に依頼して書いてもらう場合もあります。絵により複数の賛をともなうこともあります。

画集や
美術館サイトで
作品をチェック！

▶ Q221
土佐光信
《清水寺縁起絵巻》中巻（部分）

1517（永正14）
全3巻、紙本著色　33.9×1894.9cm
東京国立博物館　重文

▶ Q224
雪村周継
《呂洞賓図》（部分）

16世紀後半
紙本墨画　119.2×59.6cm
大和文華館、奈良　重文

06 近世美術1（桃山・江戸時代初期）

以下の資料を読み、続く設問に答えてください。

[資料]

桃山時代の芸術は、天下人たちの権力を誇示する、天守閣を載せた壮麗で巨大な城郭に象徴されます。このような巨大な空間は、絵師や工芸家たちに大きな仕事場を提供しました。その中で最も目立つのは室内を飾る襖絵で、それを描いた代表的な画家が狩野派を率いる狩野永徳でした。ほかの巨匠たちも障壁画を手がけますが、江戸時代に入ると狩野派の寡占状態はさらに拍車がかかりました。

Q225 長谷川等伯や雲谷等顔は、室町時代の水墨画家の画風を踏襲しようとしました。その画家とはだれですか。

① 狩野元信　　② 芸阿弥　　③ 雪舟等楊　　④ 雪村周継

Q226 豊臣秀吉と北政所愛用の蒔絵調度《竹秋草蒔絵文庫》が伝来する寺院の名称はなんですか。

① 建仁寺　　② 高台寺　　③ 大徳寺　　④ 東大寺

Q227 下図の作者とその作風について述べた文として、最もふさわしいのはどれですか。

① 豪放壮大な絵画様式は「大画」とも評され、多くの障壁画を制作した。
② 余白を多くとった瀟洒淡白な画風で、徳川将軍の御用絵師として仕えた。
③ 極彩色を駆使した官能性あふれる画風で、浮世絵の祖とも仰がれた。
④ 幾何学的構図による理知的な画風で、京都を拠点に活躍した。

Q228 「日光東照宮 陽明門」とほぼ同時期に制作された作品はどれですか。

① 狩野永徳《唐獅子図屛風》
② 長谷川等伯《松林図屛風》
③ 狩野探幽《雪中梅竹遊禽図襖》
④ 海北友松《竹林七賢図》

▶ Q227

正解

| Q225 ③ | Q226 ② | Q227 ④ | Q228 ③ |

tag

〈年代〉16〜17世紀

〈時代背景〉戦国時代、下剋上、キリスト教伝来、日明貿易、南蛮貿易、貨幣経済の
　　普及、運送業の発達、大坂城、聚楽第、日光東照宮、町衆文化、侘び茶の普及

〈文化的特徴〉桃山時代・江戸時代初期の美術／宋元文化、南蛮文化、室町時
　　代の美術／天下人の造形、城郭、金碧障壁画、工芸意匠、光悦村、古典復興、
　　数寄、権現造、茶陶の発展、風俗画の興隆、初期洋風画

解説

権力を掌中にした織田信長、豊臣秀吉、徳川家康ら天下人は、自らの権威の象徴
として巨大な天守閣をいただく広壮で華麗な城郭を造営します。安土城や大坂
城、聚楽第の内部を彩ったのは、狩野永徳率いる狩野派による障壁画でした。金
箔地に鮮やかな色彩と力強い運筆で描かれた永徳の大画面絵画は、力動感と量
塊感がほとばしります。このほか、桃山画壇では「雪舟五代」を自称した長谷川等
伯、雪舟の「雲谷庵」を継承した雲谷等顔、海北友松ら巨匠が健筆をふるい、百
花繚乱のさまを呈しました。建物を飾ったのはもちろん絵画だけではありません。
秀吉と北政所を祀る高台寺の御霊屋は、明快なデザインの蒔絵で飾られ、その図
案構成の新しさは《竹秋草蒔絵文庫》に代表されます。

江戸時代に入り狩野派の寡占体制は強化され、永徳の孫の探幽は徳川家の御用
絵師となって二条城の襖絵などを手がけます。それに対し、京都に残った絵師は
「京狩野派」と呼ばれます。その1人、山雪は肥前生まれで、のちに京都へ上り桃山
画壇の巨匠、山楽に学び養子となります。掲出作品は代表作ですが、山雪の絵画
は、対角線・垂直線を強調した幾何学的な構図、静謐で理知的な画趣を特質と
します。

画集や
美術館サイトで
作品をチェック！

▶ Q227
狩野山雪
《雪汀水禽図屏風》（右隻・部分）

17世紀前半（江戸時代）
紙本金地著色、六曲一双　各154×358cm
個人蔵、京都　重文

以下の資料を読み、続く設問に答えてください。

[資料]
「茶道（茶の湯）」の源泉は、鎌倉時代に禅宗とともに中国から入ってきた宋風の喫茶習慣です。それが次第に寺院や武家社会、庶民に広がり、作法や道具、設え、精神的な訓練まで含む総合文化として日本で独自の発展を遂げました。とくに<u>「侘び・寂び」を重んじた茶道のスタイルを、桃山時代に千利休が完成させました。</u>利休ら茶人たちは、自分好みの道具や設えを創造し、後世の文化にも大きな影響を与えました。

Q 229 下線部より以前に、侘び茶を創始したとされるのはだれですか。

① 一休宗純　　　　② 村田珠光
③ 武野紹鷗　　　　④ 能阿弥

Q 230 千利休が建てたとされる妙喜庵「待庵」の内部は、どのくらいの広さですか。

① 二畳　　　　　　② 三畳
③ 四畳　　　　　　④ 四畳半

Q 231 下図の茶碗が制作された歴史的背景として、最もふさわしいものはどれですか。

① 日本の磁器が、オランダ東インド会社によって輸出用にオーダーされた。
② 古田織部が、美濃で自分好みの織部焼を制作させた。
③ 鮮やかさと枯淡の趣味に応える、色絵陶器や銹絵陶器の制作が京都で盛んになった。
④ 千利休が唐物中心だった茶席に和物を持ち込み、茶の湯用の陶器制作が始まった。

Q 232 江戸初期の茶人で、野々村仁清に仁和寺の門前に窯を開くよう指導したのはだれですか。

① 金森宗和　　　　② 千道安
③ 今井宗久　　　　④ 古田織部

▶ Q231

正解

| Q229 ② | Q230 ① | Q231 ④ | Q232 ① |

tag

〈年代〉16〜17世紀

〈時代背景〉戦国時代、下剋上、キリスト教伝来、日明貿易、南蛮貿易、貨幣経済の普及、運送業の発達、大坂城、聚楽第、日光東照宮、町衆文化、侘び茶の普及

〈文化的特徴〉桃山時代・江戸時代初期の美術／宋元文化、南蛮文化、室町時代の美術／天下人の造形、城郭、金碧障壁画、工芸意匠、光悦村、古典復興、数寄、茶陶の発展、風俗画の興隆、初期洋風画

解説

侘び茶は茶の湯の一形態です。道具や調度の贅沢さを排し、心の豊かさ、簡素で静寂な境地を重んじたとされています。室町後期から戦国時代の茶人、村田珠光によって創始され、武野紹鷗が引き継ぎ、千利休が完成させたといわれています。「待庵」は、羽柴秀吉が山崎城の築城の際に、堺から呼び寄せた千利休が、大山崎に建てたとされる茶室です。建物は切妻造の柿葺きで、茶室には珍しい地下窓がとられています。内部は二畳の極小空間で、角に炉を切り、室床という独特の床の間があります。数寄屋造の原点ともいわれる建築です。

野々村仁清は、江戸時代前期の京焼の陶工です。京都の公家たちから支持されていた茶人、金森宗和(重近)の指導の下、1647(正保4)年頃仁和寺門前に窯を開き、明暦年間に仁和寺の「仁」と本名である野々村清右衛門の「清」をとって、「仁清」と称しました。色絵陶器にすぐれた仁清の作品は、当時一流の絵師に図案を依頼していたといいます。晩年には尾形乾山にも陶法を伝授しました。

画集や
美術館サイトで
作品をチェック!

▶ Q231
長次郎
《黒楽茶碗 銘俊寛》

16世紀(桃山時代)
黒釉 高さ8.1cm、口径10.7cm、高台径4.9cm
三井記念美術館、東京 重文

以下の資料を読み、続く設問に答えてください。

[資料]

桃山時代から江戸初期にかけては、天下人たちが新たな造形を生み出す一方で、都市風俗や庶民の風俗も盛んに描かれるようになりました。また、南蛮貿易により伝来したキリスト教や西洋の影響が見られる美術も現れます。江戸時代初期の寛永年間になると、京都の後水尾天皇の周囲では、町衆も含んだ文化サークルが形成され、徳川家の芸術とは違う方向の美学が展開していきました。

Q233　室町時代後半から江戸時代初期にかけて流行した《洛中洛外図屏風》は、なにを描いたものですか。

① 城郭の内部と外部　　　② 中国とその周辺の国
③ 京都の内外と景観　　　④ 宮殿とその庭

Q234　下図はある作品の部分です。この絵の説明としてふさわしいものはどれですか。

① 西洋技法を用いた、狩野内膳筆《南蛮屏風》の一部である。
② 西洋の油彩技法を用い、南蛮貿易の様子を描いたものである。
③ 江戸期の洋風画であり、史実を忠実に描いたものである。
④ 西洋由来の絵画技法を用い、宗教的対立を描いたものである。

Q235　京都の芸術プロデューサー的な存在だった本阿弥光悦が書を、俵屋宗達が下絵を描いて人気を博した巻物はどれですか。

①《源氏物語澪標図》　　　②《鶴図下絵和歌巻》
③《蓮池水禽図》　　　　　④《西行法師行状絵詞》

Q236　下図《風俗図（彦根屏風）》にはあるテーマが隠されています。それはなんでしょうか。

① 近江八景　　　　　② 雪月花
③ 源氏物語　　　　　④ 琴棋書画

▶ Q234

▶ Q236

正解

| Q233 ③ | Q234 ④ | Q235 ② | Q236 ④ |

tag

〈年代〉16～17世紀

〈時代背景〉戦国時代、下剋上、キリスト教伝来、日明貿易、南蛮貿易、貨幣経済の普及、運送業の発達、大坂城、聚楽第、日光東照宮、桂離宮、町衆文化、侘び茶の普及

〈文化的特徴〉桃山時代・江戸時代初期の美術／宋元文化、南蛮文化、室町時代の美術／天下人の造形、城郭、金碧障壁画、工芸意匠、光悦村、古典復興、数寄、茶陶の発展、風俗画の興隆、初期洋風画

解説

京都の中心部と郊外を描いた《洛中洛外図屏風》は室町時代末期から制作され、それぞれ時代ごとに移り変わる都市の景観が反映されています。1574（天正2）年には織田信長が狩野永徳筆の屏風を上杉謙信に贈ったと伝えられています。桃山時代にはキリスト教が伝来し、西洋の絵画や銅版画の制作方法も伝わりました。以後、日本の顔料を使いつつ、西洋のモチーフや遠近法、陰影法などを採り入れた絵画も制作されました。モチーフではとくに、南蛮船や南蛮人を配した港の様子が多く描かれました。掲示作品は、キリスト教徒と異教徒の戦いの様子が描かれた珍しい例です。

この時代は、上層の町衆からも文化が生まれました。京都の本阿弥光悦は書画工芸全般に秀でた芸術家で、町絵師の俵屋宗達を見出しました。2人で複数の共同制作も手がけます。また、庶民の生活を描く久隅守景のような絵師も出現しました。《風俗図（彦根屏風）》は、17世紀前半の遊郭の一情景を描いたものですが、座頭の弾く三味線が琴、若衆と遊女が興じる双六が棋、遊女がしたためる手紙が書、背景の屏風絵が画、合わせて琴棋書画を表しています。題材を古典文学や故事にとりながら時代を超越し当世風に表現する、このような手法を「見立て」と呼びます。

画集や
美術館サイトで
作品をチェック！

▶ Q234
《泰西王侯騎馬図屏風》（部分）

17世紀前半（江戸時代）
紙本金地著色、四曲一隻　166.2×460.4cm
神戸市立博物館（池長孟コレクション）、兵庫　重文

▶ Q236
《風俗図（彦根屏風）》（部分）

1624-44（寛永元 - 正保元）
紙本金地著色、六曲一隻　94×271cm
彦根城博物館、滋賀　国宝

07 近世美術2（江戸時代中期・後期）

以下の資料を読み、続く設問に答えてください。

［資料］

琳派は江戸時代に興ったやまと絵の一流派ですが、私淑でその系譜が受け継がれていきます。江戸末期には江戸琳派が興りました。古典に取材した題材や、細やかな写実描写と意匠化されたようなモチーフ、そしてグラフィックデザインのような大胆な構図などに特徴があります。光琳の弟、尾形乾山は陶芸にも琳派の意匠を持ち込みました。このような表現は、現代にも影響を及ぼしています。

Q237 俵屋宗達を崇拝し、のちに宗達の《風神雷神図》と同じ主題を、ほぼ同じ構図で描いたのはだれですか。

① 長沢芦雪　② 尾形光琳　③ 池大雅　④ 尾形乾山

Q238 尾形光琳筆《燕子花図屏風》について述べたものとして、ふさわしいものはどれですか。

①『源氏物語』の一場面を表現したものである。
②『伊勢物語』の一場面を表現したものである。
③ 葉と茎の部分は型を用いた版画である。
④ 宗達由来のたらしこみを用いて花を描いた。

Q239 下図の作品は、尾形光琳のある屏風絵の裏側に描かれました。その屏風絵はどれですか。

①《紅白梅図屏風》　　　②《燕子花図屏風》
③《風神雷神図屏風》　　④《四季草花図屏風》

Q240 下図の作者はだれですか。

① 尾形光琳　② 鈴木其一　③ 酒井抱一　④ 俵屋宗理

▶ Q239

▶ Q240

正解

| Q237 ② | Q238 ② | Q239 ③ | Q240 ② |

tag

〈年代〉17〜19世紀

〈時代背景〉徳川幕藩体制、鎖国、日蘭貿易、貨幣経済の発展、産業の発展、人形浄瑠璃、歌舞伎、江戸文学、朱子学、儒学、蘭学、地理学

〈文化的特徴〉江戸時代中期・後期の美術／オランダ文化、明清様式／江戸狩野・京狩野、琳派、文人画・南画、写生画、洋風画、浮世絵、有田焼、京焼、工芸技法の高度化、友禅染、粋の装い

解説

俵屋宗達が描いた建仁寺蔵の《風神雷神図》は、尾形光琳のほか、酒井抱一らによっても模写されています。琳派は江戸時代に興ったやまと絵の一流派で、17世紀の俵屋宗達、本阿弥光悦に始まり、18世紀に尾形光琳が発展させ、19世紀に酒井抱一、鈴木其一が江戸の地に定着させました。やまと絵の伝統を受け継ぎながらも、豊かな装飾性と明快な意匠性を特質とし、宗達と光琳、光琳と抱一に見られるように家系ではなく私淑により断続的に流派が継承されました。

《燕子花図屏風》は『伊勢物語』第9段、東下りの場面には主人公が美しく咲いたかきつばたの花を見て歌を詠む箇所がありますが、この場面を表現したものです。抱一の掲載作品は、俵屋宗達の傑作を尾形光琳が写した《風神雷神図屏風》の裏側に描かれました。にわか雨を受ける夏草図は雷神に、強風に吹かれる秋草は風神に対応しています。光琳作の裏に銀地著色で描かれたこの作品は、瀟洒で粋な江戸琳派の美意識をよく表しており、宗達—光琳—抱一と世代を隔てて継承された琳派の系譜を伝えます。もう1つの掲載作品は抱一の弟子・其一の作品で、見事な写実描写と装飾性の両立が、琳派の新境地を拓いたともいわれています。

画集や美術館サイトで作品をチェック！

▶ Q239
酒井抱一
《夏秋草図屏風》（右隻・部分）
1821（文政4）頃
紙本銀地著色、二曲一双　各164.5×181.8cm
東京国立博物館　重文

▶ Q240
鈴木其一
《夏秋渓流図》（右隻・部分）
19世紀（江戸時代）
紙本金地著色、六曲一隻　各165.8×363.2cm
根津美術館、東京

以下の資料を読み、続く設問に答えてください。

［資料］

日本では18世紀頃から、煎茶をはじめとした中国趣味の流行を背景に、中国の文人画に倣った絵画が盛んになります。初期文人画を受けて、日本の文人画を完成させたのが京都出身の池大雅らでした。18世紀の京都画壇は、硬直化した狩野派や土佐派に反旗を翻し、新しい画風を生み出そうとする傾向が興ります。その1人、円山応挙は写実とやまと絵の華やかさを融合した、新たな写生画というジャンルを拓きました。

Q 241 南画（文人画）について述べた文として、ふさわしいものはどれですか。

① 中国では、知識人階級の士大夫がたしなみとして描くアマチュア絵画だった。
② 中国南宋の画家たちが描いた絵画の総称として使われた言葉。
③ 西洋の遠近法を用いた洋風画のこと。
④ 江戸時代のやまと絵に対して使われた漢画のこと。

Q 242 下図は池大雅がある画家と共作した画帖の一部です。共作した画家はだれですか。

① 柳沢淇園　　　　　② 円山応挙
③ 与謝蕪村　　　　　④ 浦上玉堂

Q 243 18世紀半ばに来日した沈南蘋が伝えた画風は、日本のどの分野の絵画に影響を与えましたか。

① 写生画　　　　　② 肖像画
③ 浮世絵　　　　　④ 仏画

Q 244 下図を描いた画家の門下にいたのはだれですか。

① 曾我蕭白　　　　　② 呉春
③ 祇園南海　　　　　④ 伊藤若冲

▶ Q242

▶ Q244

正解

| Q241 ① | Q242 ③ | Q243 ① | Q244 ② |

2 日本美術史

tag

〈年代〉17～19世紀

〈時代背景〉徳川幕藩体制、鎖国、日蘭貿易、貨幣経済の発展、産業の発展、人形浄瑠璃、歌舞伎、江戸文学、朱子学、儒学、蘭学、地理学

〈文化的特徴〉江戸時代中期・後期の美術／オランダ文化、明清様式／江戸狩野・京狩野、琳派、文人画・南画、写生画、洋風画、浮世絵、有田焼、京焼、工芸技法の高度化、友禅染、粋の装い

解説

文人画としての南画は本来、中国の官僚で知識人・読書人階級であるがたしなみとして描くアマチュア絵画で、職業画家の描く絵画とは区別されていました。文人の自娯自適の境地を投影するものでした。18世紀頃から日本でも盛んになった文人画を、与謝蕪村とともに大成させた画家が池大雅です。大雅は旅をして多くの書物を読み、画家として高みを目指します。その作品は、実際に眼にした景色を再構成して描いたものも多く、日本的で現実感豊かな空間を画中に生み出しました。《十便十宜図帖》は、池大雅と与謝蕪村が合作した画帖で、十便を大雅が、十宜を蕪村が担当しています。別荘での快適な生活を賞賛する、文人の理想を絵画化した主題です。

沈南蘋は中国清代の画家です。1731（享保16）年に長崎を訪れ、33（享保18）年まで滞在しました。沈南蘋の写実的な花鳥画は、直接学んだ熊斐以下、宋紫石、鶴亭らに継承されますが、彼らが日本各地でその画風を伝播させていきます。

円山応挙は、写生を重視した画家として知られます。しかし、伝統的な情趣や装飾性も備えた画風は京都画壇で一世を風靡し、多くの門下を抱えました。呉春はのちに四条派を築きます。長沢芦雪も応挙の弟子でした。

画集や美術館サイトで作品をチェック！

▶ Q242
池大雅・与謝蕪村
《十便十宜図帖　十便図・釣便》

1771（明和8）
2帖のうち、十便図：池大雅、十宜図：与謝蕪村
紙本墨画淡彩　各17.7×17.7cm
川端康成記念会、神奈川　国宝

▶ Q244
円山応挙
《藤花図屏風》（右隻）

1776（安永5）
紙本金地著色、六曲一双
各156×359.2cm
根津美術館、東京　重文

以下の資料を読み、続く設問に答えてください。

[資料]

18世紀の京都には、今日「奇想の画家たち」と呼ばれる、曾我蕭白や伊藤若冲、長沢芦雪をはじめ、個性的な画家たちが次々に現れました。また、18世紀後半の秋田や江戸では、西洋の技法を採り入れた新たな表現が生まれます。秋田では西洋的な遠近法と鮮やかな彩色の「秋田蘭画」、江戸では眼鏡絵を発展させた浮絵や銅版画による表現が登場し、日本人に新しい視覚表現を拓きました。

Q 245 下図は"奇想の画家"と呼ばれる1人、曾我蕭白の作品です。描かれているのはどのような人たちですか。

① 孔子とその弟子たち　　② 『水滸伝』の登場人物
③ 中国の仙人たち　　　　④ 古代中国の英雄や武将

Q 246 下図を描いた作者とともに秋田蘭画の一派を形成したのはだれですか。

① 小田野直武　　　　② 亜欧堂田善
③ 司馬江漢　　　　　④ 佐竹曙山

Q 247 谷文晁の《公余探勝図巻》は何を目的に描かれましたか。

① 旅先のスケッチ　　　② 海防視察
③ 地図作用の測量図　　④ 名所案内

Q 248 日本で初めて銅版画を制作したのはだれですか。

① 司馬江漢
② 平賀源内
③ 亜欧堂田善
④ 杉田玄白

▶ Q245

▶ Q246

正解

| Q245 | ③ | Q246 | ④ | Q247 | ② | Q248 | ① |

tag

〈年代〉17〜19世紀

〈時代背景〉徳川幕藩体制、鎖国、日蘭貿易、貨幣経済の発展、産業の発展、人形浄瑠璃、歌舞伎、江戸文学、朱子学、儒学、蘭学、地理学

〈文化的特徴〉江戸時代中期・後期の美術／オランダ文化、明清様式／江戸狩野・京狩野、琳派、文人画・南画、写生画、洋風画、浮世絵、有田焼、京焼、工芸技法の高度化、友禅染、粋の装い

解説

曾我蕭白は、円山応挙や池大雅、与謝蕪村、伊藤若冲などを輩出し百花繚乱の相を呈した18世紀中期の京都画壇に活躍した奇想の画家。モノクロームと原色を極端に対比させつつ、蝦蟇・鉄拐や呂洞賓、西王母ら仙人たちの術競べを描く《群仙図屏風》は、蕭白独自の奇矯な想像力に満ちあふれた代表作です。

江戸中期には洋風画も現れます。掲出作品は秋田蘭画の小田野直武の作です。江戸時代中期の秋田藩主の佐竹曙山は、平賀源内の秋田藩訪問を機に、家臣の小田野直武とともに洋風画を学びました。近景と遠景のギャップを強調しながら、東洋画の主題に西洋画の手法を採り入れた秋田蘭画を始めます。曙山は日本最初の西洋画論『画法綱領』『画図理解』も著しました。なお小田野は、杉田玄白らが訳した『解体新書』の図版を担当しています。《公余探勝図巻》は、谷文晁が松平定信の海防視察に同行した際のスケッチをもとに制作された作品です。同図巻では西洋の透視遠近法や陰影法が駆使されています。ほかに、司馬江漢が1783（天明3）年、眼鏡絵《三囲景》を銅版画で制作することに成功します。亜欧堂田善や安田雷洲がこれに続きました。

画集や美術館サイトで作品をチェック！

▶ Q245
曾我蕭白
《群仙図屏風》（右隻）

1764（明和元）
紙本著色、六曲一双　各172×378cm
文化庁　重文

▶ Q246
小田野直武
《不忍池図》

1770年代（江戸時代）
絹本著色　98.5×132.5cm
秋田県立近代美術館　重文

以下の資料を読み、続く設問に答えてください。

［資料］

肉筆、墨摺絵から始まった浮世絵は錦絵へと発展し、絵師、摺師、版元が一体となって制作されました。主題は人気役者の大首絵から名所案内の風景画まで、時代が下るとともにバリエーションは豊富になりました。また、出版形態も1枚ものから冊子まで多様な形態で販売され、大流行しました。また、西洋の技法などを作品の中で試した絵師たちもいました。このような<u>浮世絵の始まりを、江戸初期の絵師に見る研究もあります</u>。

Q249　下線部について、下図の絵師とタイトルの組み合わせとして、正しいものはどれですか。

① 英一蝶 ―《布晒舞図》

② 鳥居清長 ―《吾妻橋下の舟遊び》

③ 岩佐又兵衛 ―《浄瑠璃物語絵巻》

④ 菱川師宣 ―《北楼及び演劇図巻》

Q250　「浮絵」を最初に描いたとされる絵師はだれですか。

① 円山応挙　　　　　② 司馬江漢

③ 奥村政信　　　　　④ 鈴木春信

Q251　「雲母摺」の効果として、最もふさわしいものはどれですか。

① 濃淡のグラデーションにより、描写対象の立体感や動きを表すことができる。

② 背景を銀色に輝かせて、人物の美しさを引き立てる効果がある。

③ 発色のよい青色の顔料を使うため、空や水を色鮮やかに仕上げる効果がある。

④ 山や岩石のひだを表現する技法で、立体感や質感を表すことができる。

Q252　江戸時代後期、浮世絵最大の流派として画壇を席巻したのはどの流派ですか。

① 歌川派　　　　　② 勝川派

③ 鳥居派　　　　　④ 菱川派

▶ Q249

正解

Q249 ③   Q250 ③   Q251 ②   Q252 ①

tag

〈年代〉17〜19世紀

〈時代背景〉徳川幕藩体制、鎖国、日蘭貿易、貨幣経済の発展、産業の発展、人形浄瑠璃、歌舞伎、江戸文学、朱子学、儒学、蘭学、地理学

〈文化的特徴〉江戸時代中期・後期の美術／オランダ文化、明清様式／江戸狩野・京狩野、琳派、文人画・南画、写生画、洋風画、浮世絵、有田焼、京焼、工芸技法の高度化、友禅染、粋の装い

解説

岩佐又兵衛は、京都で活動して独自の絵画世界を拓いた絵師です。古典的な題材を飄逸かつ卑属に描き出したもの、極彩色を駆使した官能的な絵物語などを描きました。又兵衛の様式は続く世代に広い影響を与え、浮世絵の祖と仰がれるようになりました。江戸時代中期の浮世絵師、奥村政信は、錦絵に至る前の浮世絵版画の発展段階をすべて体験しました。版元でもあった政信はアイデアに富み、西洋の透視遠近法を応用した浮絵や縦長サイズの柱絵などを考案するとともに、あらゆるジャンルの作品を手がけ、人気絵師の座を手にしました。歌川豊春に始まる歌川派は、江戸後期から明治の浮世絵画派です。一門からは豊国、豊広らを輩出しました。豊国の門下には役者絵や美人画を得意とした国貞（三代豊国）や、武者絵で人気を集めた国芳がいます。豊広門下からは風景画の広重らを輩出するなど、歌川派は浮世絵最大の流派として江戸後期のメディアを席巻しました。

雲母摺とは、人物画などの背景に雲母の粉末を用い、あたかも銀地の上に描かれているような摺刷法です。寛政年間（1789-1801）を中心に行われ、喜多川歌麿の美人大首絵や東洲斎写楽の役者大首絵でよく用いられました。

画集や美術館サイトで作品をチェック！

▶Q249
伝岩佐又兵衛
《浄瑠璃物語絵巻》（部分）
17世紀（江戸時代）
紙本著色、全12巻　33.9×12943cm
MOA美術館、静岡　重文

以下の資料を読み、続く設問に答えてください。

［資料］

江戸時代の工芸は、<u>幕府の政策①</u>による都市文化のもとで発展しました。新たなパトロン層や愛好家が出現した時代でもあります。陶磁器では有田焼や野々村仁清、<u>尾形乾山②</u>の登場が挙げられます。<u>着物のデザインの流行が庶民にまで広がった③</u>ことは、同時代の絵画の中にも見出せます。また、幸阿弥家などそれまで伝統的な蒔絵が家業として引き継がれていた漆工芸でも、新しい家の登場や<u>作者の個性が目立つ作品が出現してきました④</u>。

Q253 有田焼の発展は、下線部①にも密接な関わりがあります。幕府の政策とはどのようなものでしたか。

① 青白磁技術の輸入と国内消費の促進

② ヨーロッパ市場への輸出産業の育成

③ 国内流通用やきもの産業の活発化

④「きれいさび」に合うやきもの製作

Q254 下線部②のやきものを説明したものとして、適切なものはどれですか。

① 山水や人物、花鳥など中国風の絵付が多い。色絵技術の発展により、豪華な大皿や大壺なども焼くようになった。

② 茶道具をおもに製作し、京焼ならではの雅な色絵装飾を施した。実用品であったやきものを、みて楽しむものへと変化させた。

③ 銹絵や染付、色絵などで大胆な意匠、古典文学の意匠を採り入れ、透かし鉢や型作りの皿や向付ほか食器類を多く製作した。

④ 文人好みの中国磁器の写しや急須などの煎茶具をおもに製作した。型成形による煎茶道具や人形の量産にも取り組む。

Q255 下線部③について、江戸中後期には庶民にも下図のような様式の着物が流行りました。このような着物の制作には、おもにどの技法が用いられていますか。

① 絞り染   ② 型染

③ ろうけつ染   ④ 友禅染

Q256 絵師ながら衣装・陶器の意匠にも影響を与え、下線部④の端緒ともなった、江戸中期の芸術家はだれですか。

① 幸阿弥長重   ② 小川破笠

③ 原羊遊斎   ④ 尾形光琳

▶ Q255

正解

| Q253 ② | Q254 ③ | Q255 ② | Q256 ④ |

tag

〈年代〉17〜19世紀

〈時代背景〉徳川幕藩体制、鎖国、日蘭貿易、貨幣経済の発展、産業の発展、人形浄瑠璃、歌舞伎、江戸文学、朱子学、儒学、蘭学、地理学

〈文化的特徴〉江戸時代中期・後期の美術／オランダ文化、明清様式／江戸狩野・京狩野、琳派、文人画・南画、写生画、洋風画、浮世絵、有田焼、京焼、工芸技法の高度化、友禅染、粋の装い

解説

戦乱が治まり政治の中心が江戸に移った江戸時代には、それまで政治・文化の中心だった上方（京都周辺）に加え、新たに江戸が大きな消費の地となりました。江戸期の工芸は幕藩体制を基盤に、全国各地で藩の庇護のもとさまざまなジャンルで発展し、いわゆる名産品が生まれます。加賀藩の九谷焼や友禅染、会津藩の漆器などがその例です。政治や経済が安定した結果、文化的な発展をみせた江戸時代ですが、後期になると、一般の町人も衣食住の全てに高い関心を持ち始め、文化を多面的に享受するようになり、美術や工芸の発展を支えました。大量生産が可能になった「浮世絵」は庶民に愛された代表格です。その名の通り同時代の町人の姿がありのままに表され、時には都市における着物や髪型などの流行を庶民に広く伝えたともいわれます。幕府のお抱えの「家業」としての製造体制を継承するだけではなく、新たにつくり手を目指す人が現れたこともこの時代の特徴です。色絵陶器を完成させた野々村仁清は自作にサインを残した最初の陶工ともいわれますが、仁清のこの姿勢は、近代人としての自我の萌芽であるといえるのかもしれません。

画集や美術館サイトで作品をチェック！

▶ Q255
喜多川歌麿
《婦女人相十品　ポッピンを吹く娘》
18世紀（江戸時代）
大判錦絵　38×24.5cm
東京国立博物館

08 近代と現代の美術1（明治時代）

以下の資料を読み、続く設問に答えてください。

［資料］

<u>開国後の日本①</u>は、ヨーロッパ的な近代国家を目指し、ヨーロッパ文化の受容と<u>日本文化の輸出を目論み</u><u>ます②</u>。明治政府は1871年に西洋技術の輸入を目標に<u>工学寮（のちの工部大学校）③</u>をつくり、1876年にはその付属施設として工部美術学校を設立しました。同校は数年で閉校となり、教師を失った学生たちは、<u>本格的な美術を学びに渡欧していきました④</u>。

Q257 次の用語のうち、下線部①の時代以前から使われているものはどれですか。

① 美術　　　　　　　　② 日本画

③ 漫画　　　　　　　　④ 絵画

Q258 下線部②の例として、1873年のウィーン万国博覧会への参加があります。この万博で作品が展示された作家はだれですか。

① 高村光雲　　　　　　② 歌川広重

③ 小林清親　　　　　　④ 宮川香山

Q259 下線部③の関係者のうち、1882年に開館した下図の上野博物館（旧東京国立博物館本館）を設計したのはだれですか。

① 片山東熊　　　　　　② 辰野金吾

③ ジョサイア・コンドル　④ ジョヴァンニ・ヴィンチェンツォ・カペレッティ

Q260 下線部④の芸術家たちが帰国した影響で、日本の美術界に起きた変化として適切なものはどれですか。

① 日本初の美術雑誌『臥遊席珍』が創刊された。

② 美術派閥を統合する文部省美術展覧会が発足した。

③ フェノロサと岡倉天心の主導で東京美術学校が設立された。

④ 第1回内国勧業博覧会が開催された。

▶ Q259

正解

| Q257 ③ | Q258 ④ | Q259 ③ | Q260 ② |

tag

〈年代〉19世紀後半〜20世紀初頭

〈時代背景〉明治維新、天皇制、社会構造の変化、帝国主義、富国強兵、近代化、欧米化、国粋主義、博覧会、博物館設立、美術行政、美術学校設立

〈文化的特徴〉明治時代の美術／幕末の美術、イタリア・バロック美術、新古典主義、ロマン主義、印象主義／西洋折衷主義の建築、美術の誕生、美術と工芸の分化、洋画と日本画の分化、画壇の形成、文部省美術展覧会

解説

明治政府は、欧米列強に並ぶべく積極的に西洋の技術や文化思想を採り入れましたが、極端な欧化に反発し伝統を擁護する動きも起こりました。「美術」もまた、2つの傾向の間で揺れ動きながら整備され、制度化に向かって行きます。

1876(明治9)年に殖産興業政策の一環として最初の官立美術学校である工部美術学校が設立され、イタリアから絵画、彫刻、建築の教師を招いて本格的なヨーロッパ式の美術教育を行いました。しかし80(明治13)年頃から国粋主義の風潮が高まると、日本画や伝統的な木彫の復興の声に押されて83(明治16)年に閉校します。89(明治22)年の東京美術学校の開校時も洋画は除外されました。96(明治29)年に西洋画科が設置されるまで、洋画は低迷し多くの洋画家が欧州に留学しました。

この頃の美術界では洋画と日本画、彫塑と木彫の東西対立ばかりでなく、各分野の中でも新旧諸流派に分かれて競い合っていました。これらを包括して美術を振興する場として政府主催の文部省美術展覧会（文展）が組織され、1907(明治40)年に第1回展が開かれました。

画集や
美術館サイトで
作品をチェック！

▶ Q259
ジョサイア・コンドル
上野博物館
1881(明治14)
東京

以下の資料を読み、続く設問に答えてください。

[資料]

幕末期に遡る西洋絵画の研究は、開国後、高橋由一らによって本格化します。<u>彼らは外国人画家から西洋絵画の技法を学び普及に努めました①</u>。明治政府が設立した<u>工部美術学校②</u>では、外国人芸術家が招聘され指導にあたるものの、美術行政は次第に日本の伝統的美術を重視し始めます。明治後期には、<u>帰朝画家たちがアカデミックな西洋美術の思想や技法の普及に努め③</u>、<u>同時代の芸術思潮④</u>も紹介していきます。

Q261　下線部①の画家たちが描いた油絵の特徴はどれですか。

① 印象派の影響で外光を意識的に描いた。

② 日本の伝統的な主題を油絵具で描いた。

③ 西洋の写実技法を追求するために静物画のみを描いた。

④ 写真を下絵にして描いた。

Q262　下線部②の美術学校で、師弟関係にあった組み合わせとして正しいものはどれですか。

① ワーグマン ― 小山正太郎

② フェノロサ ― 山本芳翠

③ ラグーサ ― 五姓田義松

④ フォンタネージ ― 浅井忠

Q263　下線部③を代表する黒田清輝が描いた《智・感・情》について、同作が構想画の作例とされる理由として、正しいものはどれですか。

① 当時タブー視されていた日本人女性の裸体画

② 理想化された人体による寓意表現を試みた3点構成の絵画

③ デッサンを重ねて描かれた絵画

④ 日本の伝統的な金箔地に西洋の油彩技法を用いた絵画

Q264　下図は下線部④の作例ですが、同作品に強く影響したヨーロッパの芸術運動として、最もふさわしいものはどれですか。

① ロマン主義

② 象徴主義

③ フォーヴィスム

④ アール・ヌーヴォー

▶ Q264

正解

Q261 ②　　Q262 ④　　Q263 ②　　Q264 ②

tag

〈年代〉19世紀後半〜20世紀初頭

〈時代背景〉明治維新、天皇制、社会構造の変化、帝国主義、富国強兵、近代化、欧米化、国粋主義、博覧会、博物館設立、美術行政、美術学校設立

〈文化的特徴〉明治時代の美術／幕末の美術、イタリア・バロック美術、新古典主義、ロマン主義、印象主義、象徴主義、アール・ヌーヴォー／美術の誕生、洋画と日本画の分化、画壇の形成、文部省美術展覧会

2 日本美術史

解説

日本の西洋絵画導入は、幕末に始まります。幕府の研究機関・蕃書調所の画学局で川上冬崖らが技法書の翻訳や材料研究に励みました。川上門下の1人、高橋由一は、横浜駐在の挿絵記者チャールズ・ワーグマンから指導を受け、最初の本格的な洋画家となりました。高橋はのちに画塾・天絵楼（天絵舎、天絵学舎）を開き、後進を指導します。1876（明治9）年に設立された工部美術学校ではアントーニオ・フォンタネージのもとで浅井忠、松岡寿、山本芳翠らが学びましたが、83（明治16）年の閉校に前後して、国粋主義の台頭により洋画は低迷期に入ります。89（明治22）年、欧州帰りの松岡、原田直次郎らと浅井、小山正太郎らが明治美術会を創立し、普及・啓蒙に努めました。93（明治26）年にフランスから帰国した黒田清輝は、はじめ明治美術会に属しますが96（明治29）年に脱退して久米桂一郎らと白馬会を結成しました。同年に東京美術学校に西洋画科が設置され、2年後に黒田が主任教授となります。これにより黒田らのアカデミックな写実に明るい色彩を加えた外光派の画風（新派）が日本洋画界の主流となり、明治美術会の堅実・重厚な作風は旧派と呼ばれるようになりました。

画集や美術館サイトで作品をチェック！

▶Q264
藤島武二
《天平の面影》

1902（明治35）
油彩・キャンヴァス　197.5×94cm
石橋財団（アーティゾン美術館）、東京　重文

以下の資料を読み、続く設問に答えてください

[資料]

明治の日本画の近代化は、分派していた伝統的な絵画が、「絵画」という概念へ統合されていく過程に見ることができます。東京ではフェノロサと岡倉天心が、京都では（A）が中心となって近代の日本画を主導し、美術教育の制度も整えていきました①。一方で町絵師を出自とする画家たち②も独自の境地を拓いていきます。明治後期には、西洋美術の影響を吸収しながら日本の伝統を解釈し直した画家たちが、古典回帰的な作品③を発表しました。

Q 265　文中（A）にふさわしい画派はどれですか。

① 狩野派　　② 土佐派　　③ 円山・四条派　　④ 文人画派

Q 266　下線部①にある「近代の日本画」として、現在、嚆矢とされている作品はどれですか。

① 狩野芳崖《悲母観音》　　　② 河鍋暁斎《慈母観音図》
③ 橋本雅邦《龍虎図屏風》　　④ 富岡鉄斎《富士山図》

Q 267　下線部②の代表的な画家の1人、河鍋暁斎の説明としてふさわしいものはどれですか。

① 横浜で洋画の手ほどきを受け「光線画」を考案し、社会の動きを光と影を巧みに配した木版画で表現した。
② 狩野派出身だが、さまざまな画風を学び、歴史人物画を得意とした。『前賢故実』を出版し、近代絵画史にも貢献。
③ 歌川国芳に浮世絵を学んだ後、狩野派で学ぶ。確かな筆力と奔放でユーモアあふれる画風が市井の人気を集めた。
④ 歌川国芳に師事し、「血みどろ絵」と呼ばれる残酷描写で有名。菊池容斎に私淑し、歴史画でも才を見せた。

Q 268　下図のどのような表現が、下線部③の特徴としてふさわしいでしょうか。

① 古典的な風景の中にたたえるコローのような情感。
② 樹木の細密な写生や空気遠近法的な空間把握。
③ 風景に琳派的な装飾手法と光の描写の導入。
④ 樹木の描線をなくし彩色のみで形を表す工夫。

▶ Q268

正解

| Q265 ③ | Q266 ① | Q267 ③ | Q268 ② |

tag

〈年代〉19世紀後半〜20世紀初頭

〈時代背景〉明治維新、天皇制、社会構造の変化、帝国主義、富国強兵、近代化、欧米化、国粋主義、博覧会、博物館設立、美術行政、美術学校設立、明治浪漫主義

〈文化的特徴〉明治時代の美術／幕末の美術、イタリア・バロック美術、新古典主義、ロマン主義、印象主義、象徴主義、アール・ヌーヴォー／美術の誕生、洋画と日本画の分化、画壇の形成、日本美術院、文部省美術展覧会（文展）

解説

「日本画」という言葉は、ヨーロッパから入ってきた西洋画に対して、狩野派ややまと絵、円山・四条派、南画など日本の伝統的な絵画をまとめて示す用語として生まれました。明治初期は欧化の流れに圧倒されていましたが、東京帝国大学講師アーネスト・フェノロサと助手を務めていた岡倉天心が日本美術の価値と復興を説き、狩野芳崖、橋本雅邦らとともに新しい日本画を創り出そうとしました。また、国家基盤をつくるにあたり、民族主義的思想を持つ教育機関の有用性も訴えられました。

1889（明治22）年に東京美術学校が開校し、翌年には岡倉が学長になり、横山大観、下村観山、菱田春草らが学びました。98（明治31）年、美校騒動と呼ばれる内紛のため岡倉は美校を辞職し、彼のもとについた横山らと日本美術院をつくります。西洋絵画に対抗するだけでなく、その写実描写や空間表現を日本画に採り入れるべく研究と実践を進める中から、描線を描かず色彩の濃淡で空気や光を表現する朦朧体が生まれました。この動きは竹内栖鳳、山元春挙ら京都の日本画家たちにも大きな刺激を与えました。

画集や
美術館サイトで
作品をチェック！

▶ Q268
菱田春草
《落葉》（右隻）

1909（明治42）
紙本著色、六曲一双　各157×362cm
永青文庫（熊本県立美術館寄託）、東京　重文

09 近代と現代の美術2（大正・昭和時代〜1945まで）

以下の資料を読み、続く設問に答えてください。

［資料］

日本では元号が明治から大正に切り替わる直前、1910年を区切りに芸術をとりまく思潮が変化します。同年創刊された<u>文芸雑誌『白樺』</u>①やヨーロッパで最新の美術動向に触れた芸術家たちを通して、自由に表現を追求する個人主義が促されました。これは黒田清輝をトップとする日本の芸術アカデミズムに反旗を翻す動きともなり、<u>ヨーロッパの前衛芸術に影響された表現</u>②が増えていきました。

Q 269 下線部①が唱えた「自我の解放」を1910年頃に具現化した作品として、最もふさわしいものはどれですか。

① 萬鐵五郎《裸体美人》　　② 青木繁《海の幸》
③ 福田平八郎《漣》　　④ 古賀春江《海》

Q 270 関根正二の《信仰の悲しみ》に描かれているのはどのような女性たちですか。

① 女神　　② 妊婦　　③ 亡くなった人　　④ 海女

Q 271 下図は下線部②の作例ですが、同作について述べた文として、最もふさわしいものはどれですか。

① 未来派に影響を受けた、スピードを礼賛した表現である。
② ダダ的手法で、震災から復興する街のダイナミズムを表現した。
③ コラージュの手法を紹介するために制作された。
④ シュルレアリスムの影響を受けた、イメージの合成である。

Q 272 日本で最初に美術の常設展示場を設けたのはどの百貨店ですか。

① 高島屋
② 白木屋
③ 松屋
④ 三越

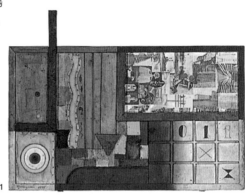

▶ Q271

正解

| Q269 ① | Q270 ② | Q271 ② | Q272 ④ |

tag

〈年代〉20世紀

〈時代背景〉社会構造の変化、帝国主義、軍国主義、共産主義、日中戦争・太平洋戦争、大正デモクラシー、白樺派、関東大震災

〈文化的特徴〉大正・昭和時代初期の美術／ポスト印象主義、象徴主義、アール・ヌーヴォー、フォーヴィスム、キュビスム、ダダ、ロシア・アヴァンギャルド／前衛美術運動、文展、再興日本美術院、画壇の分裂

解説

『白樺』は文学誌ですが、美術史系の執筆陣もそろい、ポスト印象主義や象徴主義の作品と作家を図版付きで紹介する、美術雑誌色も強いものでした。創刊した時期、美術ではフォーヴィスム色の強い萬や、ムンクらの影響をそのまま絵画にしたような岸田劉生らが現れます。こうした自由な風潮は、若い作家たちの表現にも目を向けさせます。《信仰の悲しみ》は、関根正二が死の1年前、19歳で描いた作品です。行列する薄衣をまとった妊婦たちの姿は、関根が神経衰弱を患っていた際に現れた幻影がもとになったといわれています。強い色調と神秘性を備えたこの作品は、二科展で樗牛賞を受けました。また、現代性をとらえる動きも現れます。前衛美術団体「マヴォ」（MAVO）は、震災後の東京でダダ的建築をアピールしました。1923（大正12）年にドイツから帰国した村山知義を中心に結成されたマヴォは、絵画や建築、演劇の境を越え、都市空間を舞台にした運動を繰り広げました。掲載作品は村山のものですが、破壊された後に新たな建物が増殖する近代都市を表す作品ともとらえることが可能です。そのほか大正期には、百貨店での常設展覧会が始まりました。この日本特有のシステムは、現代でも継続しています。

画集や
美術館サイトで
作品をチェック！

▶Q271
村山知義
《コンストルクチオン》

1925（大正14）
油彩・紙・木・布・金属・皮・額　84×112.5cm
東京国立近代美術館

以下の資料を読み、続く設問に答えてください。

[資料]

昭和初期までは大正時代の自由な空気が続き、自己の表現を模索する画家たちの新しい表現が画壇を賑わせていました。また、ヨーロッパの共産主義思想やシュルレアリスムももたらされ、新たな芸術運動が起きます。しかし、じょじょに社会は戦争に向かい、軍部による思想統制が激化し、芸術家たちの表現の自由は次第になくなっていきました。画材も不足する中で、従軍画家として戦地に赴く画家も大勢いました。

Q 273　日本にシュルレアリスムを紹介し、戦時中には危険思想の持ち主として逮捕された美術評論家はだれですか。

① 宮川淳　　　② 瀧口修造　　③ 板垣鷹穂　　④ 土方定一

Q 274　第二次世界大戦中の戦争記録画についての説明として、正しいものはどれですか。

① 下図は、宮本三郎作《山下、パーシバル両司令官会見図》である。
② 陸・海軍省の委託で制作された公式の戦争記録画を「作戦画」という。
③ 1970年にGHQに接収された。
④ 2002年にアメリカから返還され、東京国立近代美術館の所蔵品となった。

Q 275　第二次大戦中は日本で戦争記録画を制作しましたが、それが原因で戦後は日本から出てフランス国籍を取得した画家はだれですか。

① 梅原龍三郎　　② 川端龍子　　③ 藤田嗣治　　④ 小磯良平

Q 276　大正時代に渡米し、戦時中にカーネギー国際展最高賞を受賞するなど、アメリカの美術界で活躍した洋画家はだれですか。

① 須田国太郎　　② 藤田嗣治　　③ 国吉康雄　　④ 佐伯祐三

▶ Q274

正解

Q273 ②　Q274 ①　Q275 ③　Q276 ③

tag

〈年代〉20世紀

〈時代背景〉社会構造の変化、帝国主義、軍国主義、共産主義、日中戦争・太平洋戦争、大正デモクラシー、白樺派、関東大震災

〈文化的特徴〉大正・昭和時代初期の美術／ポスト印象主義、象徴主義、アール・ヌーヴォー、フォーヴィスム、キュビスム、ダダ、ロシア・アヴァンギャルド、シュルレアリスム／前衛美術運動、文展、再興日本美術院、画壇の分裂、戦争記録画

解説

瀧口修造は、ブルトンらシュルレアリストとも交流し、評論・翻訳・展覧会への協力など多角的な活動を展開します。しかし、1941（昭和16）年に福沢一郎とともに検挙され、日本のシュルレアリスム運動は収束に向かいます。厳しい思想統制のもと、戦時中は多くの画家たちが、「戦争記録画」の制作に関わりました。戦争画の多くは戦後アメリカに接収され、70（昭和45）年に「無期限貸与」の形で153点が返還されました。これらは東京国立近代美術館が保管・展示しています。掲載作品は、シンガポールで行われた日本軍とイギリス軍の停戦会談の模様を描いたもの。宮本三郎は同地で実際の人物や場所の取材活動を行い、構図は当時の報道写真をもとに、全体の整理やモチーフの追加も行いました。藤田嗣治は、パリで国際的な評価を受けた画家でした。40（昭和15）年にパリを脱出して帰国し、戦時中は戦争記録画制作に没頭します。戦後は日本画壇からの中傷などを厭って日本を離れ、55（昭和30）年以降はフランスに永住しました。一方、大正時代に渡米した国吉康雄は、苦労を重ねてニューヨークで美術を学び、アメリカで国際的評価を受けます。48（昭和23）年にはホイットニー美術館で回顧展が開催され、52（昭和27）年にはアメリカ代表作家として、ヴェネツィア・ビエンナーレに出品されました。

画集や
美術館サイトで
作品をチェック！

▶ Q274
宮本三郎
《山下、パーシバル両司令官会見図》

1942（昭和17）
油彩・キャンヴァス　180.7 × 225.5cm
東京国立近代美術館（無期限貸与）

10 近代と現代の美術3（昭和時代　1945～1970年代）

以下の資料を読み、続く設問に答えてください。

［資料］

日本の戦後芸術は、戦争体験と向き合うことから出発しました。香月泰男「シベリア・シリーズ」や浜田知明《初年兵哀歌》などは、戦争の悲惨さや理不尽さを鑑賞者に訴えます。しかし、1950年代に入ると厳しい経済状況の中でも、新しい表現を模索する作家たちが次々に現れ、「実験工房」や「具体美術協会」のような団体をつくり活動を始めました。また、フランスやアメリカの芸術動向とも呼応していきます。

Q277 戦後、新しい表現を目指す国内の若手作家たちの、作品発表の機会となった展覧会はどれですか。

① 日本国際美術展　　　　② 日展
③ 日本（読売）アンデパンダン展　④ サロン・ド・メエ日本展

Q278 1954年に吉原治良が中心となり、新しい表現を模索した芸術家グループはどれですか。

① 実験工房　　　　　② デモクラート美術協会
③ 夜の会　　　　　　④ 具体美術協会

Q279 下図のような表現を生んだ絵画傾向はなんと呼ばれていますか。

① プロレタリアート　　② 新日本絵画
③ 日本アヴァンギャルド　④ ルポルタージュ絵画

Q280 1950年代に渡米し、下図のような作品でも知られる作家はだれですか。

① 篠原有司男　　　　② 荒川修作
③ 草間彌生　　　　　④ 河原温

▶ Q279

▶ Q280

正解

| Q277 ③ | Q278 ④ | Q279 ④ | Q280 ③ |

2 日本美術史

tag

〈年代〉20世紀

〈時代背景〉第二次世界大戦終結、国家体制の構造的変化、東西冷戦、日米安全
保障条約締結、朝鮮戦争、テレビ放送開始、国公立近代美術館の開館

〈文化的特徴〉1950年代の美術／アンフォルメル、フルクサス／リアリズム、前衛芸
術運動、日展、東京国際美術展、読売アンデパンダン展、アンフォルメル旋風

解説

戦後、若手芸術家に作品発表の機会を提供したのは、読売新聞社主催の公募展
「読売アンデパンダン展」でした。1949（昭和24）年に「日本アンデパンダン展」とし
て始まり、57（昭和32）年に改称します。無審査でだれでも出品できましたが、次第
に作品が過激化し、64（昭和39）年に突然の終了を宣言されました。また、「日本国
際美術展」は、日本における国際美術展の先駆けとして、毎日新聞社が主催となり
52（昭和27）年に開始した展覧会です。

50年代の新しい動向の1つである「具体美術協会」は、今日のパフォーマンスの
先駆にあたる表現や足で制作する絵画をはじめ、型破りな作品を生みました。「ル
ポルタージュ絵画」は、終戦直後の社会問題や政治闘争に取材して描かれた絵
画を指します。ルポルタージュとは、現場に密着して取材したドキュメントを意味す
るフランス語で、その名の通り重厚なリアリズム描写を特徴としていました。代表
作家としては山下菊二、池田龍雄、中村宏らが挙げられます。また、欧米で活動
する作家たちも現れます。草間彌生は58（昭和33）年に渡米し、巨大な平面作品
やソフトスカルプチャーの制作、ハプニングなど多彩な活動をしました。少女時代
から強迫性神経症による幻覚や幻聴を経験し、それを紙に描き留めることから絵
を始めた作家です。

画集や
美術館サイトで
作品をチェック！

▶Q279
中村宏
《基地》

1957（昭和32）
油彩・合板　92×175cm
東京国立近代美術館

▶Q280
草間彌生
《夏2》《2点組のうちの1点》

1985（昭和60）
布・塗料・合成繊維・金属　167.5×84×115cm
福岡市美術館

以下の資料を読み、続く設問に答えてください。

［資料］

1960年代には、日本でも「読売アンデパンダン展」を中心に、前衛芸術家たちの活動が活発になります。その表現は多様でしたが、物質そのものよりも、それを巡る人や環境、社会との関係性を問題とする、コンセプチュアル・アートの傾向が強まりました。また、この時期にはデザインや建築の世界でも社会の変化を反映した新しいコンセプトや表現が模索されていました。

Q281 フルクサスの影響を受け、1961年に1回目のコンサートを開催した即興音楽グループはどれですか。

① 時間派　　　　　　　② ミュージック・コンクレート
③ 東京フルクサス　　　④ グループ・音楽

Q282 ハイレッド・センターのメンバーの正しい組み合わせはどれですか。

① 靉嘔・一柳慧・久保田成子
② 高松次郎・赤瀬川原平・中西夏之
③ 吉村益信・荒川修作・篠原有司男
④ 加藤好弘・岩田信市

Q283 松澤宥に関する説明として、最もふさわしいものはどれですか。

①「オブジェを消せ」という啓示を受け、言葉による概念芸術を提唱、実践した。
② 石や土などの自然物を配置し、オブジェと場所の関係性を問題にした。
③ フルクサスに参加して、パフォーマンスを行った。
④ テクノロジーを用いたサウンド・アートを提唱した。

Q284 1960年の世界デザイン会議をきっかけに結成された、右図のビルを設計した建築家も含まれる建築グループはなんですか。

① エコロジー建築
② フラクタル・グループ
③ メタボリズム・グループ
④ プログラム建築

▶ Q284

正解とヒント
Answers & Tips

正解

| Q281 ④ | Q282 ② | Q283 ① | Q284 ③ |

tag

〈年代〉20世紀

〈時代背景〉資本主義、東西冷戦、ベトナム戦争、高度経済成長、消費社会、学生運動、東京オリンピック、大気汚染、海外渡航の自由化、大衆文化の興隆、アングラ演劇

〈文化的特徴〉1960年代の美術／アンフォルメル、フルクサス、ミニマル・アート、コンセプチュアル・アート／前衛芸術運動、読売アンデパンダン展、東京国際美術展、芸術活動の国際交流、建築運動メタボリズム

解説

1960年代は、日本でも前衛的な芸術動向が盛んになりました。フルクサスの強い影響下で水野修孝、刀根康尚、塩見允枝子らが即興音楽グループ「グループ・音楽」を結成します。「時間派」は中沢潮らが結成したコンセプチュアル・アートの集団です。63(昭和38)年に結成された「ハイレッド・センター」は高松次郎、赤瀬川原平、中西夏之の3人によるもの。活動期間はわずか1年5ヵ月ほどですが、その間に《首都圏清掃整理促進運動》や《山手線事件》など、戦後美術史上に残るハプニングを起こしました。松澤宥は、46(昭和21)年に早稲田大学理工学部建築科を卒業した芸術家です。64(昭和39)年、「オブジェを消せ」という啓示を受け、言葉(文字と音声)による「概念芸術」を提唱、実践した日本におけるコンセプチュアル・アーティストの先駆者でした。「メタボリズム」は生物学用語で「新陳代謝」を意味する、60年代に展開された日本発の建築運動です。建築や都市も有機的にデザインされるべきという理念に基づき、大規模な建築や都市計画によって日本の未来像を提案しました。メンバーに、評論家の川添登、建築家の大髙正人、槇文彦、菊竹清訓、黒川紀章、グラフィック・デザイナーの粟津潔、インダストリアル・デザイナーの榮久庵憲司らがいました。

画集や
美術館サイトで
作品をチェック！

▶Q284
黒川紀章
中銀カプセルタワービル
1972(昭和47)
東京

以下の資料を読み、続く設問に答えてください。

[資料]

1970年は日本万国博覧会が開催され、多数の現代美術家や建築家が参加します。そこではメディア・アートの存在を知らしめました。同年開催された「第10回 日本国際美術展（東京ビエンナーレ：人間と物質展）」①では、60年代から国際的な動向となっていたアルテ・ポーヴェラやミニマル・アート、コンセプチュアル・アートを一堂に集め、もの派と国際動向の共通性などを見出していきました。しかし、70年代後半になると禁欲的ともいえる動向への反動も起き始めました②。

Q 285　下線部①の展覧会を企画した美術評論家はだれですか。

① 中原佑介　　　　　② 針生一郎
③ 東野芳明　　　　　④ 宮川淳

Q 286　下図の作品を制作した作家はだれですか。

① 李禹煥　　　　　　② 高松次郎
③ 関根伸夫　　　　　④ 菅木志雄

Q 287　河原温が晩年まで継続したライフワークはなんと呼ばれますか。

①「浴室」シリーズ
②「印刷絵画」
③「物置小屋の中の出来事」シリーズ
④「日付絵画」

Q 288　下線部②について、日本で起きた絵画の動きはどの国際的な動向と呼応しますか。

① コンセプチュアル・アート
② ネオ・エクスプレッショニズム
③ シミュレーショニズム
④ ヴィデオ・アート

▶ Q286

正解

| Q285 ① | Q286 ③ | Q287 ④ | Q288 ② |

tag

〈年代〉20世紀

〈時代背景〉資本主義、東西冷戦、ベトナム戦争、高度経済成長、消費社会、学生運動、東京オリンピック、日本万国博覧会、沖縄返還、オイルショック、大気汚染、大衆文化の成熟、美術館建設ラッシュ、百貨店美術館の誕生

〈文化的特徴〉1970年代の美術／フルクサス、ミニマル・アート、コンセプチュアル・アート／もの派、概念的・内省的・知的表現、東京国際美術展、絵画・彫刻の復権の兆し、メタボリズム

解説

日本国際美術展（東京ビエンナーレ）は、1950年代に始まった国際展です。コミッショナー制度を採用した70（昭和45）年の第10回展「人間と物質」展は、美術評論家の中原佑介が企画し、アルテ・ポーヴェラ、ミニマル・アート、もの派の作家など、内外の先端的な美術を紹介しました。日本からは榎倉康二、小清水漸、高松次郎らが出品しました。「もの派」は自然の素材にほとんど手を加えず、それらを主役として提示する、70年頃から登場した新しい芸術運動です。掲出作品がその嚆矢とされ、アルテ・ポーヴェラなど世界の動向との同時代性も指摘されます。河原温は日本のコンセプチュアル・アートを代表する作家です。60年代からニューヨークを拠点に、「時間」や「存在」をテーマとした観念的な作品を制作しました。66（昭和41）年に始まる「日付絵画」は、制作時間に関する厳密なルールのもと、絵具で均一に塗られたキャンヴァスへ制作した日付のみを描いたものです。このような動向への反動で、70年代後半に現れたのは、豊かな色彩表現やフィギュラティブな表現による絵画でした。欧米でネオ・エクスプレッショニズムが表面化した時期とも呼応しています。この傾向を示した作家に、根岸芳郎や辰野登恵子、彦坂尚嘉らがいます。

画集や
美術館サイトで
作品をチェック！

▶ Q286
関根伸夫
《位相―大地》
（第1回神戸須磨離宮公園現代彫刻展での展示）
1968（昭和43）
土　直径220×高さ（深さ）270cm
兵庫

以下の資料を読み、続く設問に答えてください。

［資料］

第二次世界大戦後の日本画壇は、「日本画滅亡論」なども論議される中、1946年の日展開催をはじめ、各地の美術団体が活動を再開させました。戦時中の美術活動に対する反省も含め、画家たちは新たな表現を模索し始めます。60年代までは日本画の実験をするグループも乱立し、古典を参照しながら新しい日本画を制作する画家たちと並行して、従来の日本画の枠を超える表現も出現しました。

Q289　京都市立絵画専門学校出身の三上誠、星野眞吾らが、日本画の革新を目指して1948年に結成したグループは次のどれですか。

① デモクラート美術協会　　② パンリアル

③ 具体美術協会　　④ 新制作協会

Q290　戦後の日本画に関する説明としてふさわしいものはどれですか。

① 創造美術（現・創画会）が二科会から分離、独立して日本画団体となった。

② 下図は重厚で現実的な風景を描いた横山操の作品である。

③ 丸木位里が妻の俊と共同で《沖縄戦の図》を制作した。

④ 国粋主義的な傾向が継続し、下図のような勤労を尊ぶ日本画が称賛された。

Q291　「現代の琳派」と呼ばれる画風を生み、1969年の日本国際美術展などにも選ばれた日本画家はだれですか。

① 中村正義　　② 片岡球子

③ 高山辰雄　　④ 加山又造

Q292　1957年のサンパウロ・ビエンナーレで、版画部門の最優秀賞を受賞した作家はだれですか。

① 棟方志功　　② 駒井哲郎

③ 浜口陽三　　④ 池田満寿夫

▶Q290

正解

| Q289 ② | Q290 ② | Q291 ④ | Q292 ③ |

tag

〈年代〉20世紀

〈時代背景〉資本主義、東西冷戦、ベトナム戦争、高度経済成長、消費社会、学生運動、東京オリンピック、日本万国博覧会、オイルショック、大気汚染

〈文化的特徴〉1950〜70年代の日本画／フルクサス、ミニマル・アート、コンセプチュアル・アート／日本画の技術革新・画壇批判、表現の多様化、前衛芸術運動、日展

解説

第二次世界大戦後の日本画壇は、「日本画滅亡論」が唱えられるなど、戦時中の日本画家による国粋主義的な主題や態度に対する深い反省が見られます。丸木位里・俊夫妻は、作品を携えて全国各地を巡回し、戦争の悲劇を多くの人に伝えました。日本画の伝統的な花鳥風月に主題を求めずに、横山操のように、工場や高層ビルなどを描き始める作家も現れます。新制作協会から分離独立した創画会も、「真に世界性に立脚する日本絵画の創造」を標榜し、日本画にとらわれない作品の創造を目指しました。そうした動向の1つがパンリアルです。メンバーたちは日本画の素材や画材の研究のうえに、日本画の枠を超えた素材やモチーフに対してこだわりを示しながら自己の表現を模索しました。1950〜60年代にはこのような実験的なグループが盛んに活動しましたが、70年代に入ると急速に勢いを失います。また、50年代には日本画家の作品が国際的に評価を受けたり、国際展に出品されたりする機会も増えていきます。加山又造は伝統的なやまと絵や琳派の技法に現代性を加えた作品を展開しました。版画家も、プリミティヴ性が着目された棟方志功をはじめ、グラフィックデザイン的な浜口陽三らが国際的に高く評価されました。

画集や
美術館サイトで
作品をチェック！

▶Q290
横山操
《夕張炭鉱》

1958（昭和33）
布・彩色　180×454.5cm
見附市（見附市図書館に展示）、新潟

現代のアートは、
もはやどう理解すればいいかわからない…

それなら、山本浩貴さんの
『現代美術史』を読んでみて！

カタチのない作品の価値が
腑に落ちた！

山本浩貴著
『現代美術史　欧米、日本、
トランスナショナル』（2019年）
中央公論新社（中公新書）　960円＋税

1960年代以降の国内外の現代美術家とその作品がわかりやすくまとめられた1冊。「芸術と社会との結びつき」という観点からも論が展開されていて、現代美術を理解するための格好の入門書と言えるでしょう。アートプロジェクトやジェンダー、民族問題、芸術の戦争責任など、近年のアートシーンで何が起こっているのかも説明してくれています。
最近のアートシーンのトピックスは、美術検定1・2級で出題される内容。しかし、関連書籍では情報が薄いパートです。新書判で読みやすく、サブテキストにもオススメ！

（千葉県　竹下さん）

3 現代美術

問題作成・執筆者

—

暮沢剛巳

小金沢智

01 1980年代の美術

Q293 フランスの哲学者ジャン＝フランソワ・リオタールが著書『ポスト・モダンの条件』で提唱した概念は、次のうちのどれですか。

① 大きな物語の終焉　　　　　② J回帰
③ マルチカルチュラリズム　　④ スーパーフラット

Q294 布を使って建物を包んだり、風景の中に巨大なカーテンを出現させたりする2人組のアーティストはだれですか。

① チャールズ＆レイ・イームズ　　② ジョン・レノン＆オノ・ヨーコ
③ クリスト＆ジャンヌ＝クロード　　④ エミリア＆イリヤ・カバコフ

Q295 日本でも、大地の芸術祭 越後妻有アートトリエンナーレや瀬戸内国際芸術祭で発表している、下図の作品の作者は次のうちのだれですか。

① レベッカ・ホーン　　　② クリスチャン・ボルタンスキー
③ ルイーズ・ブルジョア　④ アントニー・ゴームリー

Q296 下図は東京都現代美術館にある作品ですが、作者はだれでしょう。

① リチャード・ロング　　② デイヴィッド・ナッシュ
③ リチャード・ディーコン　④ ハミッシュ・フルトン

▶Q295

▶Q296

Q293 ① リオタールが1979年に出版した著書で示した概念です。「大きな物語」とは19世紀以降、第二次世界大戦後の米ソ冷戦構造やその構造を前提にした文化状況に対応し、「終焉」は西洋近代の理性主義の失効を示すとしています。リオタールは、終焉の後には小さな物語があふれ出すだろうという見解を示し、その時代をポスト・モダンと呼びました。

Q294 ③ ブルガリア出身のクリストは1958年にパリに出て、ジャンヌ＝クロードと結婚。彼は日用品の梱包に始まり、コロラド州の谷、パリの橋ポン・ヌフ、ベルリンの議事堂ライヒスタークと、包んだり囲ったりする対象を巨大化。プロジェクトごとに法人を設立。ジャンヌ＝クロードが社長に収まり、クリストはせっせとドローイングを描いてプロジェクトの資金を作るという体制を確立しました。

Q295 ② ボルタンスキーは1944年フランス生まれ。絵画を出発点とし、やがてヴィデオや写真を用いた作品制作を始めます。「消滅」や「不在」に関心を持ち、作品には死や記憶がテーマとして表れている作家です。日本でも大地の芸術祭 越後妻有アートトリエンナーレ（2006）や瀬戸内国際芸術祭（2010）などで作品を発表。豊島には世界各地で採集した人々の心臓の音を集積する《心臓音のアーカイブ》が開館しました。

Q296 ③ 名前の挙がった4人とも1980年代以降のイギリス彫刻を代表する作家ですが、ほかの3人は木や石など自然素材を用いることが多いのに対し、ディーコンは金属や合成樹脂など人工素材で有機的な形態を造り出しました。《カタツムリのように B》と題されたこの彫刻は、スチールとアルミ製で高さ約5m。ちなみに《カタツムリのように A》は栃木県立美術館の庭に設置されています。

3 現代美術

画集や美術館サイトで作品をチェック！

▶ Q295
クリスチャン・ボルタンスキー
《シャス高校の祭壇》

1987
写真、金属の箱、電球、電線
横浜美術館

▶ Q296
リチャード・ディーコン
《カタツムリのように B》

1987-96
スチール・アルミニウム 488×516×473cm
東京都現代美術館

Q 297 ネオ・エクスプレッショニズムが誕生した背景として、最もふさわしいものはどれですか。

① キリスト教圏を中心とした美術史の枠組みを広げ、周辺諸国に目を向けようとした。

② 公共施設への美術作品の設置を推奨する法律が整備された。

③ 禁欲的なコンセプチュアル・アートの反動として、感情の発露のような具象絵画が求められていた。

④ 閉ざされた画廊空間や、限られた都市空間から解放されたいという欲求が強まっていた。

Q 298 ニューヨーク出身のグラフィティ・アーティストで、2018年にはパリで大回顧展が開かれるなど、近年再評価が高まっているのはだれですか。

① キース・ヘリング

② バンクシー

③ バリー・マッギー

④ ジャン＝ミシェル・バスキア

Q 299 下図の作者は、写真や広告などの既存イメージの流用を1つの手法とする動向を代表する作家の1人です。この動向はなんと呼ばれますか。

① ミニマリズム　　　　　② シミュレーショニズム

③ ネオ・エクスプレッショニズム　④ アルテ・ポーヴェラ

Q 300 1989年に、にわかに「芸術としての写真」が話題になりましたが、そのきっかけはなんですか。

① 現代写真の動向をまとめた「タイポロジー」展が開催された。

② 写真発明150周年だった。

③「記号の森―表象の危機に瀕する芸術」展がロサンジェルス現代美術館で開催された。

④ ロバート・メイプルソープが亡くなった。

Q 301 下図の作者と同世代で、建築物を中心に都市の変貌や崩壊、再生を独自の視線で撮影する、国際的な写真家はだれですか。

① 杉本博司　　　　　② 石内都

③ 宮本隆司　　　　　④ 荒木経惟

▶ Q299

▶ Q301

Q297 ③ 1970年代に禁欲的なコンセプチュアル・アートが流行した反動で、80年代初頭には感情を爆発させたような表現が待望されるようになりました。そのようなムードの中から生まれてきたのがネオ・エクスプレッショニズム(新表現主義)です。この流行は世界的に広がり、イタリアではトランスアヴァンギャルディア、日本ではニューペインティングなど、各国ごとにさまざまな呼称が生まれました。

Q298 ④ 1960年生まれのバスキアは、81年にPS1で開催されたグループ展「ニューヨーク／ニュー・ウェイブ」で一躍注目を浴びます。27歳で夭折したバスキアの作品は、ハイチ系移民であるアイデンティティや社会批判的なメッセージを含む点も特徴とされています。近年、複数の作品がオークションで高額落札され、大規模な回顧展が各地で開催されるなど、再評価の機運が高まっています。

Q299 ② 写真や広告などの既存のイメージを大胆に流用した美術の動向をシミュレーション・アートといい、1980年代後半にピークを迎えました。この動向は、資本主義が発達し、膨大な情報が飛び交う現代社会では、もはやオリジナルとコピーの差異は解消され、コピーがオリジナルを凌駕すると唱えたボードリヤールの『シミュラークルとシミュレーション』(1981)の強い理論的影響下にあったのです。

Q300 ② 1839年にジャック・マンデ・ダゲールが写真を発明してから、1989年で150年。その前後から、ダグ&マイク・スターンのように写真を彫刻的に扱ったり、デイヴィッド・ホックニーのようにキュビスム的手法を写真に採り入れたり、「芸術としての写真」が盛んになります。またこの年、発明150年を記念した写真展が各地で開かれ、以後、写真は確実に現代美術に組み込まれていきます。

Q301 ③ 宮本隆司は建築雑誌の編集者を経て転身した写真家で、廃墟を舞台とした写真やピンホール写真によって評価を確立しました。杉本博司は1970年代からニューヨークを拠点に活動し、《ジオラマ》《海景》などの写真シリーズ作品で知られますが、現在はサイトスペシフィックな作品も制作しています。石内都は私的なモチーフから時間や女性性などを表現する写真を、荒木経惟は私小説的な物語性の濃密な女性写真を特徴としています。

3
現代美術

画集や
美術館サイトで
作品をチェック！

▶ Q299
シンディ・シャーマン
《無題 #153》

1985
クロモジェニック・カラー・プリント
166.4×120.7cm

▶ Q301
杉本博司
《シネラマ・ドーム、ハリウッド、1993》

1993-
ゼラチン・シルバー・プリント 42.3×54.2cm
個人蔵

02 1990年代の美術

Q302　1990年代に日本の現代美術が海外で注目を浴びる嚆矢となった、1989年のサンフランシスコ近代美術館から全米7都市を巡回した展覧会はどれですか。

① 「プライマル・スピリット(10人の現代彫刻作家)」展
② 「戦後日本の前衛美術」展
③ 「アノーマリー」展
④ 「アゲインスト・ネイチャー:80年代の日本美術」展

Q303　1990年代を通じて、経済の自由化、情報のグローバル化などの波を受けて世界中に拡散した現代美術の動向を表すのに最も適した言葉はどれですか。

① グローバリゼーション
② インターメディア・アート
③ マルチカルチュラリズム
④ マルチチュード

Q304　スキンヘッドの自分をモデルにイメージが反復する絵画シリーズによって、1990年頃から注目を浴びた、シニカル・リアリズムを代表する中国のアーティストはだれですか。

① 蔡國強(ツァイ・グオチャン)
② 艾未未(アイ・ウェイウェイ)
③ 方力鈞(ファン・リジュン)
④ 岳敏君(ユ・ミンジュン)

Q305　1990年代には、性差を疑問視する潮流からジェンダーやホモセクシュアル、レズビアンといった「(A)への視点」が美術表現として試みられるようになります。(A)にあてはまる言葉はどれですか。

① 非西洋　　　　　② 女性
③ トランス・ジェンダー　　　　④ フェミニズム

Q302 ④　　国際交流基金主催、日米4名のキュレーターが選出した日本の若手作家のグループ展。森村泰昌、宮島達男、大竹伸朗、椿昇、舟越桂、ダムタイプら出品作家の顔ぶれは、「関西ニュー・ウェイブ」の興隆や、先端技術の積極的な流用など、当時の日本のポスト・モダン状況を忠実に反映したものでした。同展は日本の現代美術の動向をリアルタイムで海外へと紹介した最初の事例です。その後、ほかの選択肢の展覧会が続きました。

Q303 ③　　マルチカルチュラリズム（多文化主義）という考え方は、これまでの西洋、とくにキリスト教圏を中心とした美術史の枠組みを広げ、東欧、中東など周辺諸国やアジア、アフリカ、南米など非欧米圏の文化や芸術に接する機会を増やしました。ちなみに②は1960年代の視聴覚メディアを用いた実験芸術のこと。④は2000年代の多様な政治状況を指す言葉として近年よく使われています。

Q304 ③　　天安門事件を経た1990年代の中国では、文化大革命の際のプロパガンダ様式をポップ・アートに流用した「ポリティカル・ポップ」や、中国社会の不条理や不安感を皮肉に表現する態度を示した「シニカル・リアリズム」の動向が流行します。方力鈞は92年以降、欧米のアートシーンで注目を浴びるようになりました。ほかの3名も、90年代末から中国現代美術が国際的に注目されるきっかけをつくった代表的な作家です。

Q305 ③　　マルチカルチュラリズムによって地理的多極化による多様な「他者」の価値観を受容しようとする態度は、社会文化的文脈にも及びます。1990年代に入ると性差そのものを疑問視するジェンダー理論の潮流から、「マイノリティとしての他者」への視点が美術表現として採り上げられることが増えました。ゲイやトランス・セクシャルの友人らとの交流を赤裸々に撮影したナン・ゴールディンのような作家もいます。

3 現代美術

Q306

1990年代にYBAを国際的なアートシーンで注目させるに至った、イギリスの現代美術コレクターはだれですか。

① ダミアン・ハースト   ② ニコラス・セロータ
③ チャールズ・サーチ   ④ ジェイ・ジョプリン

Q307

観客がデジタル・システムに介入することで作品世界が展開していく表現形式とはなんですか。

① パブリックアート   ② インタラクティヴ・アート
③ パフォーマンス   ④ リレーショナル・アート

Q308

下図の映画「クレマスター」5部作を完成させた作家は、次のうちのだれですか。

① マシュー・バーニー   ② ダグラス・ゴードン
③ ビル・ヴィオラ   ④ ピピロッティ・リスト

Q309

椹木野衣が企画した「アノーマリー」展の説明として、適切なものはどれですか。

① 東京都現代美術館で開催された。
② 日本のシミュレーション・アートの枠組みを示した。
③ 2000年代の先端的な美術を紹介した。
④ 出品作家の1人に森村泰昌がいる。

Q310

日本美術のあり方にも大きな影響を与えた、ニコラ・ブリオーの著作はどれですか。

①『関係性の美学』
②『オリジナリティと反復』
③『第三の意味』
④『反美学』

▶ Q308

Q306 ③ YBAは「ヤング・ブリティッシュ・アーティスツ」の略。ダミアン・ハースト、ジェイク＆ディノス・チャップマン、ダグラス・ゴードンら若手アーティストの作品を、イギリスの広告代理店サーチ＆サーチの創業者チャールズ・サーチが積極的に収集し展示公開したことで注目を集めました。②はイギリスの現代美術館システムをつくった元テート・ブリテンの館長（1988-2017）、④はYBAを国際的なアートシーンに送り出したギャラリストのひとり。

Q307 ② インタラクティヴとは「相互作用」という意味で、インタラクティヴ・アートは作品と鑑賞者の間に一定の相互作用が生じることを意図した作品を指します。このジャンルはハイテクを駆使し、ヴァーチャル・リアリティを体験させる装置を利用したメディア・アートの1つと考えられています。

Q308 ① マシュー・バーニーはおもに身体機能や人体そのものをテーマにしたパフォーマンス、映像、インスタレーションなどで知られるアメリカの現代美術家。2005年には金沢21世紀美術館で個展を開催し、ビョークとともに出演した映画「拘束のドローイング9」を発表し話題を呼びました。近年の映像技術の発展と現代美術市場の拡大が、美術作家による長編映画制作の傾向を後押ししています。

Q309 ② 「アノーマリー」展は1992年9月から11月にかけてレントゲン藝術研究所で開催された、美術評論家の椹木野衣企画の現代美術展です。当時若手の注目株だった村上隆、中原浩大、ヤノベケンジの3人に加え、ゲームクリエーターの伊藤ガビンを抜擢した異色の人選によって、日本版のシミュレーション・アートの枠組みを示した展示として注目されました。

Q310 ① フランス出身の美術評論家・キュレーターのブリオーが1998年に出版した著書。自身がパレ・ド・トーキョーなどの企画展で選んだ同時代の作家たちと作品について、「関係」の創出という視点で論じたものです。同書とリクリット・ティラヴァーニャらの作品にみられる「リレーショナル・アート」のコンセプトは、のちの新しいタイプの作品やコミュニティ・アートにもしばしば理論的に援用されるようになりました。

3 現代美術

画集や
美術館サイトで
作品をチェック！

▶Q308
マシュー・バーニー
《クレマスター3》よりヴィデオ・スティル
2002
ヴィデオ

03 2000年代の美術

Q311 「スーパーフラット」の概念として、適切なものはどれですか。

① 日本古来の自然に即した造形精神を示す。
② 伝統的な日本絵画とアニメ、マンガに共通する構図から見出された概念である。
③ 公共空間で、無許可かつ匿名で行われる表現行為を示す。
④ 幼児性とともに、脆弱性や華やかさ、愛らしさなどを特徴とする表現を示す。

Q312 「マイクロポップ」についての説明として、適切なものはどれですか。

① 精神科医で現代美術コレクターの高橋龍太郎が示した、1990年代以降の作家の傾向。
② 1950年代末から1960年代に生まれた作家に見られる傾向。
③ 東京都現代美術館で展覧会が開催された。
④ 展覧会には、奈良美智、杉戸洋、島袋道浩、野口里佳などさまざまな作家が選ばれた。

Q313 2002年のドクメンタ11でアーティスティック・ディレクターを務めたのはだれですか。

① ホウ・ハンルゥ　　　　② 中森康文
③ オクウィ・エンヴェゾー　④ 片岡真実

Q314 2006年に東京都現代美術館が企画した、1960年代末から70年代生まれの作家たちによる日本画を一堂に集めた展覧会はどれですか。

①「日本画から／日本画へ」展
②「日本ゼロ年」展
③「ネオテニー」展
④「ひそやかなラディカリズム」展

Q311 ② 現代美術家の村上隆が2000年頃に提唱した概念で、「超平面」ともいいます。やまと絵や水墨画などの伝統的な日本絵画と、現代の和製マンガやアニメーションがともに遠近法的な奥行きを欠いている事実に注目し、その平板な構図を日本美術の優位性として読み替え、海外のアートシーンに発信していく、挑発性と戦略性を持ったコンセプトです。村上は、造形上、同様の傾向を示す若手作家らによるグループ展も企画しました。

Q312 ④ 「マイクロポップ」とは、美術評論家の松井みどりが提唱した新たな芸術の概念。独自の脱線や言い換え、表現コードの組み替えを行い、既存の表現の限界を超えて新しい表現を作っている想像力のありかたを指します。1960年代末以降生まれの作家に見られる傾向です。2007年、水戸芸術館現代美術ギャラリーで「夏への扉　マイクロポップの時代」展が開催されました。

Q313 ③ ナイジェリア人のエンヴェゾーは、ドクメンタ初の非欧米圏出身の芸術監督を務めました。都市化、植民地主義などがテーマに掲げられた同展には、シリン・ネシャット、インカ・ショニバレら非欧米圏出身の作家が数多く参加しました。1990年代末からとくに経済発展が著しいアジア圏の作家への関心は高まり、中国や韓国の作家、日本人とベトナム人の両親を持つジュン・グエン＝ハツシバも国際的な注目を集めています。

Q314 ① 「MOTアニュアル2006　No Border『日本画』から／『日本画』へ」展で、篠塚聖哉、天明屋尚、長沢明、町田久美、松井冬子、三瀬夏之介、吉田有紀の当時30代の若手画家が参加しました。ゼロ年代の多様で新たな日本画の表現とともに、具象的な図像が表出したフィギュラティブな共通点がみられました。この点は1980年代以降の日本画にみられたイメージを封印するような表現とは一線を画するものと考えられています。

3
現代美術

息抜きにもなって、検定の勉強にもなる
都合のいい本、ありませんか？

楽しい雑誌をご紹介しよう！
それは『Casa BRUTUS』！

日本の BEST 美術館100は
毎年の楽しみ！

月刊『Casa BRUTUS』
マガジンハウス　990円

建築を中心にアートやデザインなど、好奇心をくすぐられるテー
マを毎回取り上げている月刊誌。大判の誌面に広がる美しいカ
ラーグラフィックにも定評があり、美術館の美しい建築やアート
をさまざまな角度からじっくり味わうことができます。参考書に
は載っていない現代アートも、グラフィックやインタビューなどの
特集を追いながら情報を整理していくと印象に残ります。また、
芸術祭や建築関連の問題も、試験前に何気なく目を通してい
た誌面からイメージがつながって解くことができました。楽しい
学習に一役も二役も買う雑誌です。　　　　（東京都　吉田さん）

4 その他のジャンル

東洋美術
工芸・デザイン
美術館・関連行政・展覧会

美術検定2級　練習問題
マークシート問題対策

問題作成・執筆者

—

暮沢剛巳
松島仁
荒木和
齊藤佳代

01 東洋美術

Q 315 下図の《仏陀立像》にうかがえる、ガンダーラ仏像彫刻の特徴について正しい説明はどれですか。

① 右手を曲げて五指を立て、掌を正面に向けた形は施無畏印と呼ばれ、仏の会釈するしぐさを表すとされる。

② 反復する円弧曲線で鋭く浮彫りされた僧衣の衣褶は、後世の仏像彫刻では使われることはなかった。

③ ガンダーラでは直立した仏像しか造られず、坐像が登場するのはインド様式が確立されたグプタ朝時代になってからである。

④ 開いて片足を踏み出す支脚遊脚（コントラポスト）の姿勢など、ギリシアの人体彫刻の影響が如実にうかがえる。

Q 316 ヒンドゥー教とその美術が拠り所とする聖典や叙事詩と関係のあるものは、次のうちどれでしょう。

①『ギルガメッシュ叙事詩』 ② 『オデュッセイア』
③『ラーマーヤナ』 ④ 『コーラン』

Q 317 中国で「雲崗石窟」が造営されたのはどの時代ですか。

① 後漢 ② 三国時代
③ 南北朝時代 ④ 隋

Q 318 正倉院宝物として知られる《白瑠璃碗》は、3世紀初めから6世紀半ばにイラン高原に栄えた国で制作されたものです。その国はどこですか。

① バビロニア ② ササン朝ペルシア
③ ローマ帝国 ④ インド・グプタ朝

▶ Q315

Q315 ④ ガンダーラ美術は現在のパキスタン北部で紀元前後から数世紀の間栄えた仏教美術です。仏像を最も早く生み出し、これを定型化したことでも知られ、その影響力はインド、中央アジア、中国と広範囲にわたっています。同美術における仏教彫刻は、ギリシア・ローマ文化の影響のもとに初めて釈迦の姿が表現され、前期には石、後期には塑像によって制作されました。

Q316 ③ 『ラーマーヤナ』は『マハーバーラタ』と並ぶ、古代インドの叙事詩です。これらが今日の形になったのがグプタ朝時代でした。グプタ朝の仏像は、日本の白鳳仏にも影響を及ぼします。なお、『ギルガメッシュ叙事詩』はメソポタミア文明を、『オデュッセイア』は古代ギリシアを代表する叙事詩です。『コーラン』は、預言者ムハンマドに下された神（アッラー）の啓示を集大成した、イスラム教の聖典です。

Q317 ③ 5〜6世紀の中国は、439年の北魏による華北統一から589年の隋による中国全土の統一までを南北朝時代と区分します。北魏では仏教が国家的な信仰を集め、5世紀後半には雲崗石窟が造営されました。494年の洛陽遷都後にはその郊外に龍門石窟も開かれました。雲崗石窟では、初期にはインドのグプタ朝や中央アジアの様式を採用した豊かな肉身の仏像が彫られましたが、次第に均整のとれた痩身の像が彫られ中国化が進みました。

Q318 ② 古代ペルシアの工芸品の1ジャンルがガラス器です。ガラスは「琉璃器」とも表記され、シルクロードを経由して日本にも伝えられました。古代ペルシアの美術としては、摩崖浮彫もアカイメネス朝やササン朝のものがよく知られています。また、古代から見られるイスラム文化独特の文様に蔓草文があり、器や絵画、建物に残されています。

画集や美術館サイトで作品をチェック！

▶ Q315
《仏陀立像》
1世紀頃（クシャン朝）
片岩　高さ103×幅32×奥行22.5cm
大英博物館、ロンドン

Q319 朝鮮三国時代に優れた造仏技術が日本にも伝えられましたが、その仏像のおもな素材はどれですか。

① 木　　　　　　　　② 石
③ 銅　　　　　　　　④ 鉄

Q320 中国・唐時代の文化について、適切な説明はどれですか。

① グプタ朝様式の影響を受けた仏像が造像され、ペルシア風の唐三彩が焼かれた。
② 王羲之が行書と草書を交えた行草体の表現を完成させた。
③ 敦煌莫高窟が開かれ、イランの王侯の坐法に基づく交脚の姿で表された本尊を祀る石窟がある。
④ 儒教・道教・仏教が融合した思想・宗教感が固まる中、水墨山水画が完成された。

Q321 中国の山水画《谿山行旅図》の作者はだれですか。

① 王維　　　　　　　② 夏珪
③ 范寛　　　　　　　④ 呉彬

Q322 下図の作品に見られる特徴について、最もふさわしい説明はどれですか。

① 中国の伝統的な絵画に西洋技法を採り入れた、折衷表現で人物と風景を描いている。
② リアルで精緻に対象を把握し、濃密な彩色を施して山水を描写している。
③ モチーフを一方に寄せた辺角構図をとり、明快な構成で山水を表している。
④ 大画面に雄大な自然を描いており、大気や早春の光を表している。

Q323 右図にも使われている東洋的な遠近法はよく「三遠」と呼ばれますが、これを理論化したといわれる画家はだれですか。

① 王維　　　　　　　② 郭熙
③ 馬遠　　　　　　　④ 夏珪

▶ Q322・323

Q319 ③ 4世紀から7世紀の朝鮮半島は、高句麗・新羅・百済の3王国が鼎立した、三国時代と区分されています。この時期の朝鮮半島は日本と密接な交流を持ち、多くの渡来人が日本に新しい技術をもたらしました。古来よりの文化である黄金趣味を反映した金銅（銅に金めっきを施したもの）仏が多く制作され、日本へもその高い鋳造・鍍金技術が伝えられました。また、半跏思惟像も三国時代の仏像の特徴です。

Q320 ① 中央アジアに及ぶ広大な版図を領した唐王朝（618-907）では、ペルシアやインド、中央アジアからの影響を消化した国際色豊かな文化が栄えます。仏像などの彫刻では、隋代までの痩身の中国風に代わり、インド・グプタ朝様式を摂取した豊かなモデリングの造像が行われました。陶器では唐三彩が焼かれ、ペルシア風の意匠も確認されています。日本へは遣唐使を通じてこれら唐の文化が伝えられました。

Q321 ③ 范寛による《谿山行旅図》は11世紀前半、北宋時代の山水画で、台北の国立故宮博物院に収蔵されています。長年范寛作と伝えられた名品でしたが、900年を経た近年になってようやく画面の中に小さく落款があることが発見されました。

Q322 ④ 郭熙は11世紀前半、北宋時代の山水画家。重ね塗りや点描、三遠法などの技法を駆使して精神性の高い作品を残しました。五代から北宋時代にかけて水墨山水画を描いた代表的な画家に、李成、董源、巨然もいます。

Q323 ② 北宋の宮廷で活躍した郭熙は、蟹爪樹といわれる樹木、雲頭皴といわれる岩や山を特徴とし、巨大な山を中心にいただく広大な山水を描きました。Q322の《早春図》は郭熙の代表作です。『林泉高致集』は郭熙の画論を息子の郭思がまとめたとされるもので、その序において有名な三遠法の理論が述べられています。

4
その他のジャンル

画集や
美術館サイトで
作品をチェック！

▶ Q322・323
郭熙《早春図》
1072（北宋）
絹本淡彩　158.3×108.1cm
国立故宮博物院、台北

Q 324 下図は雪舟も学んだ画家の作品です。作者はだれですか。

① 夏珪 ② 牧谿
③ 馬遠 ④ 無学祖元

Q 325 中国文人画についての解説で正しいものはどれですか。

① 代表的な画家は南宋の宮廷画院で活躍した馬遠や夏珪である。
② プロフェッショナルな画家による熟練した技法を特質とする。
③ 江戸時代中期の画家円山応挙は、中国文人画にならい日本独自の文人画を完成した。
④ 明時代の董其昌が提唱した南北二宗論のうち、南宗画に分類される。

Q 326 高麗仏画の説明として、正しいものはどれですか。

① 金を駆使した、装飾性豊かな仏画が多い。
② 安堅は、高麗仏画の代表的な画家である。
③ 作画の機関である図画署にて描かれた。
④ 道教の国家的崇拝が原動力となって制作された。

Q 327 18世紀半ばに日本に帰着し、濃彩で細密な描写によって日本の画家に大きな影響を与えた、中国清代の画家はだれですか。

① 沈南蘋 ② 宋紫石
③ 鶴亭 ④ 熊斐

Q 328 西欧の透視画的遠近法を導入し、日本の浮世絵にも影響を与えた、下図のような清代の民衆版画はなんと呼ばれていますか。

① 広州版画 ② 福州版画
③ 蘇州版画 ④ 杭州版画

▶ Q324

▶ Q328

Q324 ① 夏珪は南宋時代の画家です。自然景の一部を構図の一方に片寄せた辺角構図をとり、明快な構図と細微な再現性を特質とした山水画を手がけました。日本の室町時代には、夏珪の作品は足利将軍家コレクションの中枢を占め、山水画を描く際の手本にもなっています。明代に中国へ渡り本格的な水墨画を体得した雪舟は、夏珪に倣った代表作《山水長巻》（毛利博物館）を描き、自身を庇護した周防の大内家に献上しました。

Q325 ④ 文人画とは、儒教的教養人が余技に描いた絵画。職業画家の絵画が形似を求め技巧の披瀝を目標としたのに対し、精神の表出を主眼とし素人的な拙さも尊ばれました。董其昌は中国絵画史を南北二宗に分類した上、文人画を南宗としその優位を説きました。日本へは江戸中期に移入され、池大雅により日本の絵画伝統も折衷しつつ咀嚼されました。

Q326 ① 仏教を国教とした高麗（918-1392）では、『大蔵経』が刊行されたほか、独自の仏教美術—高麗仏画も制作されました。赤・青・緑の三色と金彩を基調とし、豪華な装飾品や細緻な文様で彩られた高麗仏画は、深い神秘性を特質とします。高麗に次ぐ朝鮮王朝（1392-1910）では、儒教が尊ばれ宮廷画院に倣って図画署も設けられるなど、中国の文化が規範とされ、安堅らにより本格的な水墨山水も描かれるようになりました。

Q327 ① 沈南蘋は中国清代の画家です。詳しい経歴はわかっていませんが、1731年に長崎を訪れ、33年まで滞在しました。沈南蘋の写実的な花鳥画は、直接学んだ熊斐以下、宋紫石、鶴亭らに継承されますが、その影響は長崎だけに留まりませんでした。鶴亭は上方へ、宋紫石は江戸へ向かい、沈南蘋の画風は日本全体に伝播していきます。

Q328 ③ 中国で正月などに民家の門や室内に飾る吉祥画を「年画」といいます。このうち蘇州を中心とした江南地方で作られた民間版画を「蘇州版画」もしくは「版」といい、長崎貿易によって江戸時代の日本にもたらされ、遠近法や色刷りなど浮世絵版画に影響を与えました。

4 その他のジャンル

画集や
美術館サイトで
作品をチェック！

▶ Q324
夏珪《渓山清遠図巻》（部分）
12世紀後半 -13世紀前半（南宋）
紙本墨画　46.5×889.1cm
国立故宮博物院、台北

▶ Q328
《三星図》
19世紀（清）
多色刷木版、江蘇省蘇州市桃花塢
90×58cm

02 工芸・デザイン

Q 329 宋・元・明代に優れた白磁や青磁、赤絵を量産した中国最大の窯場はどこでしょうか。

① 耀州　　　　　　　　② 磁州

③ 龍泉　　　　　　　　④ 景徳鎮

Q 330 平安時代後期から室町時代中期に展開した陶芸産地のうち、代表的な窯を六古窯と呼びます。六古窯の正しい組み合わせはどれですか。

① 有田焼、備前焼、丹波焼、信楽焼、清水焼、越前焼

② 常滑焼、信楽焼、越前焼、瀬戸焼、丹波焼、備前焼

③ 信楽焼、萩焼、備前焼、清水焼、瀬戸焼、丹波焼

④ 美濃焼、有田焼、萩焼、越前焼、常滑焼、信楽焼

Q 331 有田焼について述べた文として、最もふさわしいものはどれですか。

① 須恵器を焼いた窯で焼かれたやきもの。初めは灰色だったが、やがて赤褐色の器を焼くようになった。

② 日本初の磁器で、製作年代や様式から、初期伊万里、柿右衛門などに分けられる。

③ ろくろを使わない手づくねによる抹茶専用の茶碗で、少量生産で茶人の好みが反映されている。

④ 京都郊外の窯で焼かれ、絵画と書の世界をやきものに導入した。

Q 332 近年、明治期の工芸品に対する関心が高まっています。下図の作品を作ったのはだれですか。

① 旭玉山　　　　　　　② 宮川香山（初代）

③ 高村光雲　　　　　　④ 渡辺省亭

▶ Q332

Q329 ④ 景徳鎮窯（けいとくちんよう）という名称が生まれたのは宋時代の景徳年間（1004-07）のことですが、この窯業地の歴史は古くそれをはるかに遡ります。清時代初期にはヨーロッパやアフリカにも製品が輸出されました。

Q330 ② 六古窯は現在も続いています。平安時代に隆盛した猿投窯を経て、12世紀には渥美焼とともに常滑焼の窯が現れ、無釉の皿碗とともに大型の壺を製作するようになりました。高級な中国陶器とは異なり、素朴な器形と肌合いの常滑焼は中世に台頭してきた庶民に受容され、13世紀初期までに越前焼や丹波焼、信楽焼などの窯も生みます。瀬戸焼は中国陶磁を模倣した施釉の高級品で、13世紀初めに成立しました。

Q331 ② 有田焼は17世紀初め頃から現在の佐賀県有田町周辺の窯で焼かれている磁器で、初期伊万里、柿右衛門、古伊万里などの様式があります。オランダ東インド会社によってヨーロッパに輸出されて人気を博し、マイセンやチェルシー、デルフトなど主要な窯で柿右衛門様式の写しが製作されました。江戸時代には伊万里港から輸出されたため、伊万里焼と呼ばれました。

Q332 ② 宮川香山（初代）は、明治期に活躍した陶芸家です。もとは京都で茶器を製作していましたが、明治維新による武家や公家の消滅により、消費者を失いました。1871年に横浜に移住すると、輸出用工芸品を手がけます。陶磁器という枠を超えた、《褐釉蟹貼付台付鉢》に見られる過剰なまでのリアリズムの追究こそ、香山の真骨頂です。

画集や
美術館サイトで
作品をチェック！

▶Q332
宮川香山（初代）《褐釉蟹貼付台付鉢》
1881（明治14）頃
磁器　高さ37cm、口径19.6×39.7cm、底径17.1cm
東京国立博物館　重文

4 その他のジャンル

Q333 下図の作品の作家と最も関連が深い芸術動向と、その動向のほかの作者の組み合わせとして適したものはどれですか。

① 走泥社 ― 八木一夫
② 民藝運動 ― バーナード・リーチ
③ 輸出陶磁 ― アーネスト・フェノロサ
④ 古典復興 ― 荒川豊蔵

Q334 漆工芸品の装飾技法の中で、「蒔絵」に関する説明として適切なものはどれですか

① 漆を塗ったところに、貝殻の「真珠層」と呼ばれる光輝く部分の断片を蒔く装飾法。
② 漆の粉を蒔き重ねることで、立体的に浮き出すように文様を表す手法。
③ 彫刻刀で表面を削った凹部に金粉や銀粉、色漆などを蒔き、削った部分を埋めながら文様を表現する方法。
④ 漆を全体的に塗った上に図案を漆で描き、その接着力を用い金粉や銀粉などを蒔いて文様を表す技法。

Q335 下図の作品に使われた技法と、その効果を説明しているものはどれですか。

① 彫漆技法によって立体的な表現を実現させている。
② 截金により細かい情景まで描写している。
③ 上絵付によって豊かな色彩を表現している。
④ 蒔絵や螺鈿、平文などにより意匠性を高めている。

Q336 布地の染色技法の1つ、型染と関連しない用語はどれですか。

① 紅型　　　　　　　　② ステンシル
③ 友禅染　　　　　　　④ 更紗

Q337 1964年に開催された東京オリンピックの、ロゴやポスターなどのグラフィックデザインを手がけたのはだれですか。

① 原弘　　　　　　　　② 横尾忠則
③ 亀倉雄策　　　　　　④ 田中一光

▶Q333

▶Q335

Q333 ② 図の作品は民藝運動を担った1人、濱田庄司の作品です。バーナード・リーチはイギリス人の版画家・陶芸家ですが、留学中の高村光太郎との出会いから日本を訪問します。当時、白樺派と交流を深め、富本憲吉との出会いをきっかけに陶芸を学びました。のちにイギリスのセント・アイヴスに日本式の登り窯を開き、東西の陶芸をつなぎます。日本の民藝運動にも深く関わり、柳宗悦に協力して日本民藝館設立に寄与しました。

Q334 ④ 蒔絵は、漆で絵や文様を描いた上に金属粉や色粉（顔料の粉）を置いて、絵柄を作り出す装飾技法です。ときには金属箔の小片を貼り付ける截金や文様の形に切った夜光貝やアワビの殻を下地に埋め込んで研ぎ出す螺鈿と組み合わせて、家具調度品をはじめさまざまな工芸品を飾るために用いられます。

Q335 ④ 琳派の人々は絵画だけでなく、工芸分野でも活躍をしています。図の硯箱は尾形光琳の作で、古典文学『伊勢物語』の「東下り」の一節にちなんだ意匠です。在原業平の姿を省いた留守文様で鑑賞者の想像力を刺激する造形となっています。しかし、光琳が生きた江戸中期の漆工の主流をなしていたのは大名調度であり、その分野では小川破笠が異彩を放つ工人でした。

Q336 ③ 文様を切り抜いた型紙や凹凸を付けた版を用いて布を染める「型染」は、技法や模様の特徴によって小紋、中型、紅型、更紗、型絵染などさまざまな種類があります。これに対して友禅染は、文様を手描きしたもので衣装に多く見られます。ほかに手で紡いだ糸を用いた紬も、着衣によく使われる織物です。

Q337 ③ 亀倉雄策と原弘は第二次世界大戦前から日本工房に関わり、1951年には当時商業デザイナーとして活躍する面々とともに日本宣伝美術協会を発足させました。同協会はグラフィックデザインの発展の中心的な役割を果たし、公募展も企画しています。その公募展から、田中一光や横尾忠則ら若手デザイナーが出ています。

4　その他のジャンル

画集や美術館サイトで作品をチェック！

▶ Q333
濱田庄司《白釉黒流描大皿》
1962（昭和37）
陶器　高さ14.3×直径52cm
大原美術館、岡山

▶ Q335
尾形光琳《八橋蒔絵螺鈿硯箱》
18世紀（江戸時代）
木製漆塗　27.3×19.7×高さ14.2cm
東京国立博物館　国宝

Q338 近代デザイン改革の先陣を切ったのはだれでしょう。

① ダンテ・ゲイブリエル・ロセッティ

② ジョン・エヴァレット・ミレイ

③ ウィリアム・モリス

④ チャールズ・レニー・マッキントッシュ

Q339 ヴィクトリア朝時代の1852年に開館し、世界最大の装飾品・デザインのコレクションを誇る博物館を創設し推進した人物はだれですか。

① ポインター卿 ② アルバート公

③ コンラン卿 ④ ラテナウ公

Q340 アール・ヌーヴォーの動向は、フランスを中心に興隆しましたが、同時代に世界各地へ波及し、ドイツではなんという名称で展開しましたか。

① ヴェルクブント ② ザッハプラカート

③ ゼツェッション ④ ユーゲントシュティール

Q341 アーツ・アンド・クラフツ運動がとらえようとした「用の美」ではなく、「美」のみを追求したイギリスのデザインの動きはなんと呼ばれていますか。

① ナンシー派 ② グラスゴー派

③ モダン・スタイル ④ ウィーン工房

Q342 ドイツ工作連盟の説明として正しいものを選んでください。

① 装飾デザイン様式を指し、曲線と有機的なフォルムの装飾美が、美術や建築などの分野で欧米の各都市で大流行した。

② 保守的な芸術組織や制度から分離し、自ら展覧会を運営した芸術家たちの動き。19世紀末にミュンヘン、ウィーンやベルリンで起きた。

③ 産業と芸術が融合した「インダストリアル・デザイン」の必要性を流布することを目標に、建築家や工芸家、美術家、実業家も参与した。

④ 産業革命後、粗悪なデザインの大量生産品の増加をきっかけに、手仕事を見直し、諸分野の総合的な芸術を目指した動き。

Q338 ③ モリスは1851年に開かれたロンドン万博で展示された、機械で大量生産された製品のデザインの粗悪さに落胆し、応用美術（美術工芸）を改良する方法を確立しようと思い立ちます。また、ラスキンの中世を理想とする考えに共感し、エドワード・バーン＝ジョーンズらとともに、手仕事を重視した総合的な芸術・社会改革運動を目指しました。80年代にはモリスに共鳴するデザイナーたちがアーツ・アンド・クラフツ運動を展開します。

Q339 ② ヴィクトリア・アンド・アルバート博物館は1852年に産業博物館という名で設立され、その5年後、サウスケンジントン博物館として現在の地に移転。現在の名称は99年の改装時に付けられました。

Q340 ④ ユーゲントシュティールという言葉は、1896年創刊のミュンヘンの雑誌『ユーゲント』にちなんでいます。ユーゲントシュティールは、ドイツの分離派結成とともに創刊された芸術雑誌を通じて普及しました。上記の雑誌以外に『パン』、『ジンプリツィシムス』、『ドイツの装飾と芸術』、『インゼル』などがあります。ドイツのジャポニスムもグラフィック・工芸の領域で開花し、これらの雑誌で広まりました。

Q341 ② グラスゴー派は、1890年代末にイギリス北部の都市、グラスゴーで同地の美術学校出身の4人が中心となって興したグループです。日常空間の刷新を目指して、複雑で幻想的な曲線装飾の装飾様式を生みました。中心人物のチャールズ・レニー・マッキントッシュ、マクドナルド姉妹がデザインした家具や装飾品は、96年のアーツ・アンド・クラフツ展示協会展では展示拒否をされましたが、のちに雑誌『ステュディオ』が採り上げ、ウィーン分離派の活動に結びつきます。

Q342 ③ 1907年にミュンヘンで結成された総合デザイン集団です。工場で大量生産される製品に適した「インダストリアル・デザイン」の必要性を課題に設立されました。ムテジウス、ベーレンス、オルブリヒ、ホフマンら建築家、工芸家、芸術家に加え、ペーター・ブルックマン社といった商工業の実業家も設立に参加しました。

4 その他のジャンル

Q343 1925年にパリで開催された「現代装飾美術・産業美術国際博覧会」が名称の由来となった装飾様式はなんですか。

① アール・デコ　　　　　② アール・コンクレ
③ アール・ヌーヴォー　　④ アール・ブリュット

Q344 下図のロシア革命期に労働者クラブの読書机と椅子のほか、チェス台や作業着などをデザインした美術家はだれですか。

① マレーヴィッチ　　　② シャガール
③ ロトチェンコ　　　　④ カンディンスキー

Q345 1919年、ドイツに開校した造形芸術学校バウハウスは、閉校までの間に数回移転していますが、次のうち移転先にあてはまらない都市はどれですか。

① ベルリン　　　　　② ミュンヘン
③ ワイマール　　　　④ デッサウ

Q346 アメリカの戦後デザインを中心的に牽引した美術館はどの館ですか。

① グッゲンハイム美術館　　② メトロポリタン美術館
③ ニューヨーク近代美術館　④ ホイットニー美術館

Q347 以下のうち、現代のデンマーク・デザインについて述べているのはどれでしょう。

① 新素材の使用やユニークな曲線で知られるアルヴァ・アアルトがその代表格で、東欧的体質に基づく機能的でシンプルかつ親しみやすいデザインが特徴。
② ヨーロッパ各国との交流が盛んで、英国の伝統美学も備え、人間工学と行動学に基づいて数々の名品を生み出し「クラフトの王国」とも称される。
③ 20世紀初頭に設立された総合美術学校から多くのデザイナーを輩出し、現在に至るまで工業デザイン分野で幅広く世界をリードしている。
④ 古くから続く芸術的創造の歴史を背景に、建築家、画家でもある多才なデザイナー、ジオ・ポンティが牽引しモダン・デザインが花開いた。

▶ Q344

Q343 ① アール・デコは1910年代から30年代に流行した様式で、前世紀末のアール・ヌーヴォーの流れを汲みつつ、キュビスムやバウハウスなどから着想した幾何学的なモチーフや流線型の多用が特徴です。グラフィックデザインのカッサンドルや宝飾・ガラス工芸のラリック、服飾デザインのポワレやシャネルなどが代表的な作家です。

Q344 ③ アレクサンドル・ロトチェンコは、ロシア構成主義を代表する美術家の1人で、絵画・写真・建築・デザインなど多くの分野で活躍しました。1925年の通称アール・デコ博覧会のソヴィエト館に設けられた「労働者クラブ」のインテリア・デザインでは、再現性や装飾性を省き、幾何学的形態で構成した家具デザインと空間を提示しました。

Q345 ② バウハウスは、建築家グロピウスが中心となってワイマールに設立されました。建築を基盤に美術・工芸・デザインを統合した教育課程が特色です。クレー、カンディンスキー、イッテンらが教鞭を執り、ブロイヤー、アルバースらのデザイナーや美術家を輩出します。1933年にナチスの圧力で閉校しますが、その教育理念は欧米各地で教師や卒業生によって継承され、建築・デザイン界に影響を与え続けました。

Q346 ③ 1929年に開館したニューヨーク近代美術館は、32年には世界初となる建築とデザインに特化した学芸部門を設立し、作品の収集を開始しました。以後、今日に至るまで、デザイン・プロダクトをはじめ、グラフィックデザイン、建築模型など28000点に及ぶデザイン・コレクションを形成し、各分野の研究機関としても揺るぎないものにしています。最近では、ヴィデオゲームやアプリもコレクションの対象です。

Q347 ② ヨーロッパのデザインは19世紀末から20世紀初頭にかけての各種のデザイン運動や学校教育を基盤に、各国の風土や立地条件の中でさまざまに展開しています。デンマークではミッドセンチュリーと呼ばれるデザイン黄金期を経て、シンプルで美しいデザインは現在へと受け継がれています。全国民が良質な暮らしを送る権利があるという福祉国家としての国柄が伺える機能性と快適さを備えたデザインが特徴です。

4 その他のジャンル

画集や
美術館サイトで
作品をチェック！

▶ Q344
アレクサンドル・ロトチェンコ
「労働者クラブの室内装飾」展示風景
1925(1979復元)
ポンピドゥー・センター「モスクワ─パリ」展より

03 美術館・関連行政・展覧会

Q 348 ニューヨーク郊外に2003年にオープンした現代美術の美術館は、次のうちのどれですか。

① ディア・ハドソン　　② ディア・ソーホー
③ ディア・ヴィレッジ　　④ ディア・ビーコン

Q 349 先駆的なメディア・アートの美術館として知られるZKMが所在する、ドイツの地方都市はどこでしょうか。

① フランクフルト　　② ミュンスター
③ カールスルーエ　　④ カッセル

Q 350 スペインのビルバオに1997年に進出し、世界の大美術館の新館・分館建設の先駆けになった美術館はどれでしょう。

① グッゲンハイム美術館　　② ポンピドゥー・センター
③ ルーヴル美術館　　④ ニューヨーク近代美術館

Q 351 次の展覧会のうち、現在も東京都美術館で行われている公募展はどれですか。

① 読売アンデパンダン展　　② 日展
③ 二科展　　④ 院展

Q348 ④ 1974年に設立されたディア芸術財団がニューヨーク市郊外のビーコンにある旧工場を改装してオープンした現代美術の大規模展示施設。近代産業遺跡と呼ばれる古い建築物を美術館としてリノベーション（改築）した例は、ロンドンの旧火力発電所を利用したテート・モダンなどが有名です。

Q349 ③ ZKM（カールスルーエ・アート・アンド・メディアテクノロジー・センター）は1997年にバーデン地区の地方都市カールスルーエに開館しました。音楽、映像、メディアなどの先駆的な研究や展示による町おこしや観光客の誘致を大きな目的としており、建物はかつての軍需工場が転用されました。ほかの例では、オーストリアのアルスエレクトロニカ、日本のNTTインターコミュニケーション・センターも知られています。

Q350 ① ニューヨークに本拠地を置くグッゲンハイム美術館は、ソロモン・R・グッゲンハイム財団により運営され、既出の2都市のほかにアブ・ダビ、ヴェネツィアにも分館があります。最近では、選択肢に挙がったような国際的に著名な美術館の分館・別館建設が相次ぎました。これにはコレクションの増大にともなうスペース拡張の必要性と、精力的な活動を世界に向けて発信するグローバル戦略としての側面もあるといえます。

Q351 ④ 東京都美術館の前身は、1926（大正15）年に開館した東京府美術館で、日本初の公立美術館です。しかし、一事業家の寄付金によって建設された同館は、開館後の運営予算が十分でなく、貸会場として得た利益で運営する展示場の役割を果たすようになったのです。2007年の国立新美術館開館とともに、日展や二科展など多くの公募展が新しい館に移動しましたが、院展は現在も東京都美術館で展覧会を行っています。

4 その他のジャンル

Q 352 1980年からキュレーターのハラルド・ゼーマンらが「アペルト」部門を設けた、歴史の長い国際美術展はどれですか。

① ヴェネツィア・ビエンナーレ
② サンパウロ・ビエンナーレ
③ ドクメンタ
④ シドニー・ビエンナーレ

Q 353 2002年に開催されたドクメンタ11で、芸術監督を務めたキュレーターの出身地域はどこですか。

① ヨーロッパ ② アフリカ
③ 北米 ④ アジア

Q 354 1989年にポンピドゥー・センターで開催された「大地の魔術師たち」展が、美術の新潮流を拓いたとされる理由として、最もふさわしい説明はどれですか。

① 1910〜70年にかけての日本美術が歴史的に一望でき、日本の前衛美術研究の重要な資料となった。
② マルチカルチュラリズムの展覧会のモデルケースになるとともに、美術館や博物館の概念を問い直すきっかけとなった。
③ 前衛芸術運動の中心地になった2都市の交流や影響関係を浮き彫りにし、現代美術館の役割を示した。
④ 抽象表現主義の価値を決定づけた展覧会で、その後のアート市場と美術館での展覧会との関係を顕示した。

Q 355 1888年に開催され、日本で初めて「展覧会」という名称が用いられた美術展はどれですか。

① 日本美術院再興記念展覧会
② 文部省美術展覧会
③ 日本美術協会美術展覧会
④ 帝国美術院展覧会

Q 356 1970年に開催された「日本国際美術展」の展覧会タイトルはどれですか。

① 人間と物質 ② シャンブル・ダミ
③ 態度が形になるとき ④ アンチ・イリュージョン

Q352 ① ヴェネツィア・ビエンナーレは、2年に1度行われる国際芸術祭で、第1回は1895年に開催されました。アーティストの作品は国ごとに設けられたパヴィリオンの中で紹介され、優秀者には金獅子賞が贈られます。同展は1980年から若手アーティストを招聘する「アペルト」部門（95年に中止、99年に形態を変更）を設け、開催年ごとに新しいアートシーンを示しました。

Q353 ② ドクメンタは、ドイツのカッセルで開催される国際現代美術展で、1955年の第1回展以来、4年または5年に1度行われています。当初は20世紀前衛芸術の回顧展でしたが、5回目以降は毎回芸術監督を選出し、鋭いテーマ性を打ち出した国際展へと変貌しました。ドクメンタ11ではナイジェリア出身のオクウィ・エンヴェゾーが初の非欧米圏出身者として選ばれ、彼と6人のキュレーターが公開討論を通して内容を決定しています。

Q354 ② 1984年にニューヨーク近代美術館で開催された「20世紀美術におけるプリミティヴィズム」展で紛糾した、民俗「資料」と「作品」を併置することがはらむ、西欧の植民地主義的意識を批判的に検証しようとした展覧会です。出展作品すべてに作家名を付け、全作家にほぼ同じ面積のスペースを用意して、表現者を等しく扱いました。この態度は、美術概念だけでなく、ミュージアムの概念そのものの見直しとも考えられています。

Q355 ③ 日本で初めて「展覧会」という名称が用いられたのは、1888年に上野の列品館で開かれた「日本美術協会美術展覧会」です。同展以降、出品作品を審査して優秀なものに褒賞を与える団体展が多数開催されるようになりました。同展を主催した日本美術協会は、日本美術の伝統保存と啓蒙を目指して79年に組織された龍池会を前身とする美術団体で、現在も継続しています。

Q356 ① 日本国際美術展（東京ビエンナーレ）は、日本における国際美術展の先駆けとして、毎日新聞社主催で1952年に開始、90年の第18回で廃止されました。コミッショナー制度を採用した70年の第10回展「人間と物質」展は、美術評論家の中原佑介が企画し、アルテ・ポーヴェラ、ミニマリズム、もの派の作家など、内外の先端的な美術を紹介。日本からは榎倉康二、小清水漸、高松次郎、野村仁らが出品しました。

作品解説ではなくて、「アートのみかた」
そのものがわかる本ってないの？

『アート鑑賞、超入門！』を
読むとスッキリします！

アート鑑賞、超入門！
7つの視点

藤田令伊
Fujita Ray

西洋絵画から浮世絵、
現代アートまで。

もっと楽しく
もっと理解するための
目からウロコの
新・鑑賞論。

集英社新書 0771F

「目からウロコ」はホントだった！

藤田令伊著
『アート鑑賞、超入門！ 7つの視点』
（2015年）
集英社（集英社新書） 800円＋税

アート鑑賞は敷居が高いと感じている初心者に向けた、実践
的な鑑賞の指南書。筆者は鑑賞について、多くの作品を「よく
みること」「知性でみること」「肯定と否定の両面からみること」
など7つの視点から明らかにします。例えば、「よくみること」と
は、買うつもりになって、作品の細部まで時間をかけて言葉に
しながらじっくりと「私がみる」ことだと言うのです。平易な言葉
で綴られた新書は、鑑賞の方法から効能まであっという間に読
了できる1冊。読後、私は「アート鑑賞は昆虫採集をする子ども
の視線」と連想しました。
（神奈川県　中川さん）

知識・情報の活用問題

「美術検定」では、美術の知識や情報を記憶する
問題とは方向性が異なる設問が出題されます。
ここでは学んできた知識や情報と、
作品を観察・鑑賞して得られた情報を活用して判断し、
思考する能力を問います。

問題作成・執筆者

—

荒木和、佐藤晃子（美術ライター）
奥村高明（美術教育研究者、博士（芸術学））

活 用 問 題 1

ある美術館のワークショップで、富士山を描いた絵を3枚集めてディスカッションすることになりました。以下の資料を参照し、続く設問に答えてください。

A

B

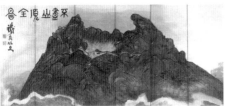

C

[各作品に関する知識]

ア 「この時代、富士山は信仰の対象で、富士山への登山旅行ブームも起きたそうだよ。それで富士山の絵も多く描かれるようになったらしい」

イ 「この富士山は、作者が中国の理想郷の姿を富士に写そうとして描いたともいわれているんだ」

ウ 「この作者は、雲海に浮かぶ富士山の清々しさに感動したらしい。この時期の日本は自由な気風があふれていて、作者は琳派を研究していたそうだよ」

[作品に関する意見]

a 「この作家は、日本の象徴である勇壮な富士山を好んで題材にして絵を描いたそうだ。この作品では、日本らしさを強く表すために富士山を描いているんじゃないかな」

b 「この作品が描かれた時代に、この角度から富士山を見ることはできません。想像をもとに描いたものではないでしょうか」

c 「この作品は、どっしりと構えた富士山の様子を細い線と点描で描き、さらに色を効果的に用いることで時間を表していると思う」

Q 357 [作品]、参加者が発言した[各作品に関する知識]、[作品に関する意見]の組み合わせとして、最も適切なものはどれですか。

① A—ア—b ② A—イ—b ③ B—イ—c
④ B—ウ—a ⑤ C—ウ—a ⑥ C—ア—c

活用問題 2

ある中学生たちは、美術の授業で右図、葛飾北斎の《冨嶽三十六景 神奈川沖浪裏》を鑑賞しました。その後、江戸時代の波の表現について調べました。その結果、A〜Cのような作品を見つけます。まとめの時間に、生徒たちはA〜Cについてア〜ウのような意見を述べました。以下の資料を参照し、続く設問に答えてください。

A

B

C

[生徒たちの意見]

ア 「この作品を見ると、北斎の作品には日本の伝統的な様式美が反映されていると思いました」

イ 「北斎は何度も波の表現をし続けて《冨嶽三十六景 神奈川沖浪裏》にたどり着いたのだと思います」

ウ 「ほかの作家の作品だけど、構図の類似性が指摘できると思います」

Q358 ア〜ウの意見と、その根拠になっている作品の組み合わせとして、最も適切だと思われるものはどれですか。

① A―ア   ② B―イ   ③ C―イ
④ A―ウ   ⑤ B―ウ   ⑥ C―ウ

活用問題 3

ある美術館の講座で、講師がモネの作品《睡蓮と日本橋》（図ア）を受講生に見せ、意見を求めました。受講生の多くは、「この作品は想像力を働かせて描いている」「風景をかなりデフォルメして描いている」と答えました。

次に、同作のモデルとなった場所（図イ）を見せたところ、多くの受講生が、「モネの作品は、実景をかなり忠実に描いている」と答えました。

以下の図を参照し、続く設問に答えてください。

ア

クロード・モネ《睡蓮と日本橋》1899年
プリンストン大学美術館蔵

イ

復元されたモネの庭より「水の庭」の写真
ジヴェルニー

Q 359 問題で示したように、図アとイを見比べた受講生の意見が変化した理由として、最もふさわしいものはどれですか。

① 時間や天候を変え同じモチーフを繰り返し描くことで、筆触分割を用いながら光を再現しようとしている。

② 睡蓮のすき間の水面に、柳の枝葉やほかの植物などが映り込んでいるさまを正確に描いている。

③ 庭のどこからこの景色を切り取ったのかがわかる構図を選び、太鼓橋や柳などを描いている。

活用問題 4

山田さんは、以下の［作品a〜f］をもとに、「さまざまな笑み」をテーマにレポートを書きました。
［資料］はそのレポートの要旨です。［資料］を読み、続く設問に答えてください。

［作品］

a

《栄光のキリスト》（壁画を移設・部分）
1123年頃　カタルーニャ美術館所蔵

b

ジュゼッペ・アルチンボルド《水》
1566年　ウィーン美術史美術館蔵

c

ウィリアム・ホガース《エビ売りの少女》
1740-45年頃　ナショナル・ギャラリー・ロンドン蔵

d

鞍作止利《釈迦三尊像》（部分）623年
法隆寺蔵

e

《鳥獣人物戯画》（丙巻・部分）13世紀　高山寺蔵

f

岸田劉生《麗子（麗子微笑）》
1921年　東京国立博物館蔵

ア

歌川国芳《荷宝蔵壁のむだ書》
1847年頃　大判錦絵3枚続
山口県立萩美術館・浦上記念館蔵

[資料]レポートの要旨

日本美術と西洋美術における「笑み」の共通性について論じる。例えば、<u>日本の仏教彫刻と古代ギリシア彫刻の微笑み方は同類のもの①</u>という。大正時代の岸田劉生の作品には、<u>レオナルド・ダ・ヴィンチの《モナ・リザ》の影響が見られる②</u>という説もある。ただ、「笑み」が、現代の目から見たときに感じる「ユーモア」につながらない場合もある。<u>制作者や当時の鑑賞者がこの作品と、人物の表情や体型の崩れから感じる"おかしさ"や"風刺的な笑い"とを結びつけていたとは言えない場合もある③</u>からだ。そのため、作品鑑賞にあたっては「<u>(A)笑顔の人物が表現されている作品</u>」と「<u>(B)直接は笑顔を表現していないが、その表現方法や内容が鑑賞者の笑いを促すと思われる作品</u>」に分けて<u>鑑賞する④</u>必要がある。

Q360 以下4作品のうち、下線部①の作品例として、ふさわしいものはどれですか（作品は部分のみ提示）。

②

③

④

Q361 山田さんが下線部②と考えた理由として、最も妥当なものはどれですか。

① モデルは手に青いみかんを持っており、アトリビュート（事物）を想起させること。

② モデルの横に引き伸ばされた顔の形や、肩掛けに緻密な油彩描写がされていること。

③ モデルの顔の角度と広角の上がり方、神秘的な笑みが《モナ・リザ》を想起させること。

Q 362　下線部③の作品として、最もふさわしいと思われるのは、以下のうちのどれですか。

① 作品a

② 作品b

③ 作品c

④ 作品d

Q 363　下線部④と、文中のA・Bに該当する作品の組み合わせとして、最もふさわしいものはどれですか。

① A―作品a、B―作品f

② A―作品b、B―作品d

③ A―作品c、B―作品b

④ A―作品d、B―作品c

Q 364　山田さんは、下線部④を説明するために、[作品ア]をレポートに追加しました。同作品を加えた理由として、最も妥当なものはどれですか。

① 元禄期に関西を中心に栄えた、町人主導の上方落語文化を代表する作品だから。

② 当時人気演目だった喜劇の登場人物たちを描いているから。

③ 滑稽本と呼ばれる、町人の日常をユーモラスにつづった文学の挿絵だから。

④ 役者絵への取締から逃れるため、壁の落書きという体裁をとったシニカルな作品だから。

活 用 問 題 5

木村さんと佐藤さんは1930年代の写真展に来ています。そこで写真とグラフィックデザインの展示資料について意見を交わしていました。
以下の資料と2人の会話を参照し、続く設問に答えてください。

［展示資料の一部］

左右：日本工房『NIPPON』
第1号（1934年）表紙とp.4-5

左：日本工房『NIPPON』第7号
（1936年）表紙
右：国際文化振興会『日本』
（1938年）裏 p.11-12　制作／
日本工房

［2人の会話］

木村：これが日本工房の作った雑誌なんだ。日本工房って知ってる？

佐藤：ドイツから帰国したカメラマンの名取洋之助が中心の編集プロダクションだよね。この雑誌から、現場で取材した、臨場感あふれる新しい写真表現①が出てきたって聞いたけど。

木村：うん。誌面も当時ドイツで流行っていたデザイン運動の　A　の影響を受けていて、かっこいいよね。

佐藤：でも、臨場感をさらに演出するデザインが裏目に出て、戦争のプロパガンダに利用された②とも聞いたな。

木村：デザインって　　　B　　　ということが重視される側面もあるからなぁ。

佐藤：そうか、今ならデザインは商品広告とかCMとか、平和な方向のプロパガンダに活用されているってことか……。

木村：そう考えると、日本工房に参加して戦後も活躍したクリエイター③が多いのも納得できるよね。

Q 365　下線部①の動向の影響下にある写真作品として、ふさわしいものはどれですか。

① 　②

③ 　④

Q 366　　A　のデザイン運動の作例に該当するものはどれですか。

① 　② 　③ 　④

Q 367　下線部②の発言は、資料に見られるどのような特徴に基づいていますか。2人の会話も参照し、最もふさわしいものを選んでください。

① フォトモンタージュなどダダの写真技法を採り入れた、新しい傾向の写真表現。

② 取材写真とイラストレーションやキャプションを組み合わせ、デザインで物語性を高めた人目を惹く構成。

③ 写真と大胆なデザインのヴィジュアル要素だけで日本の伝統的な文化を伝えようとした誌面のテーマ性。

Q368 ［ B ］に入るデザインの視点として、最もふさわしい内容はどれですか。

① 美とコストが両立できている

② 色と形のバランスがとれている

③ 人を動かす力がある

Q369 下線部③のクリエイターたちの作品として、適切な組み合わせはどれですか。

①

②

（資生堂 花椿マーク）

③

正解

Q357 ⑥	Q358 ⑤	Q359 ②	Q360 ①	Q361 ③
Q362 ①	Q363 ③	Q364 ④	Q365 ②	Q366 ④
Q367 ②	Q368 ③	Q369 ①		

知識・情報の活用問題とはなんでしょう?

単に知識の量や正確さで勝負する問題ではありません。誤答探しで解ける問題、正確に記憶していないと解けない問題でもありません。

問題には、複数の文章や画像と選択肢が提示されています。

解答者はまず、「問い」をつかむことが大切です。次に、

・文章と画像を結びつける
・資料から情報を取り出す
・自分の持つ情報や知識(概念)を活用する
・選択肢同士を比較・検討する

などを行いながら、知識や情報を論理的に組み立て、最も適切と思われる選択肢を選びます。ときには選択肢がすべて正しい場合もあります。資料同士の関係性が複雑な場合もあります。その多様な状況の中で思考・判断する力が、知識・情報の活用問題では求められます。それは、美術館のギャラリーガイドやイベントの進行で必要な力です。また、探索的で、探求的な美術鑑賞を行うのにも役立つでしょう。

活用問題1

美術史上メジャーな主題に関する知識と作品図版から、適切な情報を取り出し、正解を導く設問です。受け継がれてきた重要な主題は、時代や作者によってその意味が変化する場合があります。ここでは、日本美術でしばしば登場する「富士山」を主題とした作品が題材です。作品Aはウとa、作品Bはイとbの組み合わせが適切です。このように、主題へのアプローチと表現とを重ね合わせることは、深い鑑賞への手がかりになるでしょう。

活用問題2

比較鑑賞により、作品の特徴と作家についての知識を適切に組み合わせ、正答を導く設問です。作品Aは北斎の若いときの作、Bは「波の伊八」と異名をとった18世紀の彫刻師が彫った欄間彫刻、Cは尾形光琳の屏風絵です。

活用問題3

作品と写真の画面を注意深くみて適切な情報を取り出し、美術史の知識と結びつけて正答を導く設問です。モネは光の画家として知られています。「水の庭」を描くようになったモネは、次第に光を可視化するものとして、水面に映る像や水中の表現を研究するようになりました。図アでも、睡蓮の花や葉の間に見える水面に、庭に植えられた植物の鏡像が多く描き込まれ、モネが現実の光を忠実に描こうとしていたことがわかります。

活用問題4

西洋美術と日本美術の共通点について、美術史の知識と掲出作品から取り出した情報を適切に結びつけ、正解を導く問題です。この問題では図版から読み取れる表情を重視し、特定の作品知識は問われていません。しかし、様式を代表する作家たちが生きた時代の社会背景は、作品を鑑賞する際の手助けにもなるため、Q364ではその点も問われています。

活用問題5

写真家名取洋之助を中心に組織された日本工房が、1934年に創刊したグラフ誌『NIPPON』は、政治的プロパガンダに利用されたことに賛否はあるものの、その高度な誌面設計において、日本のグラフィックデザイン史上欠かせない存在です。原弘(創刊前に脱退)、山名文夫、河野鷹思、亀倉雄策らを輩出しました。彼らはその後のグラフィックデザインを支える若手を多数育てた日本宣伝美術会(51年)や日本デザインセンター(59年)の創立に尽力していきます。64年に開催された東京オリンピックに際しては、シンボルマークやポスター、メダルなど、各方面で亀倉や河野をはじめとしたデザイナーたちが力を振るいました。

作品をチェック！

[p.198]

A 横山大観《雲中富士図屏風》(左隻) 1913　絹本金地着色、六曲一双、各187.2×417.3cm、東京国立近代美術館

B 富岡鉄斎《富士山図》(左隻) 1898　紙本著色、六曲一双、各153×352.5cm、清荒神清澄寺 鉄斎美術館、兵庫

C 葛飾北斎《冨嶽三十六景　凱風快晴》1831-34　横大判錦絵、25.3×37.3cm、山口県立萩美術館・浦上記念館

[p.199]

葛飾北斎《冨嶽三十六景　神奈川沖浪裏》1831-34　横大判錦絵、25.4×37.3cm、山口県立萩美術館・浦上記念館

A 葛飾北斎《おしおくりはとうつうせんのづ》19世紀 (江戸時代)、中判錦絵、東京国立博物館

B 武志伊八郎信由《波に宝珠》(波の伊八欄間彫刻) 18世紀後半 (江戸時代)、木、行元寺、千葉

C 尾形光琳《松島図屏風》18世紀前半 (江戸時代)　紙本著色、六曲一隻、150.2×367.8cm、ボストン美術館

[p.200]

クロード・モネ《睡蓮と日本橋》1899　油彩・キャンヴァス、90.5×89.7cm、プリンストン大学美術館

[p.201]

a 《栄光のキリスト》(壁画を移設・部分) 1123頃　フレスコ、620×360×367.2cm、カタルーニャ美術館、バルセロナ

b ジュゼッペ・アルチンボルド《水》1566　油彩・板、66.6×50.5cm、ウィーン美術史美術館

c ウィリアム・ホガース《エビ売りの少女》1740-45頃　油彩・キャンヴァス、63.5×52.5cm、ナショナル・ギャラリー、ロンドン

d 鞍作止利《釈迦三尊像》(部分) 623　銅造・鍍金、高さ86.4cm(中尊)、法隆寺 (金堂)、奈良　国宝

e 《鳥獣人物戯画》(丙巻・部分) 13世紀 (鎌倉時代)　紙本墨画、全4巻、丙巻30.9×933.3cm、高山寺、京都　国宝

f 岸田劉生《麗子 (麗子微笑)》1921　油彩・キャンヴァス、44.2×36.4cm、東京国立博物館　重文

ア 歌川国芳《荷宝蔵壁のむだ書》(黄腰壁) 1847頃　大判錦絵3枚続き、右36.5×24.6cm、中36×24.9cm、左35.7×24.4cm、山口県立萩美術館・浦上記念館

[p.202]

① 《テネアのアポロン》(部分) BC560頃　パロス大理石、高さ153cm、テネア出土、グリュプトテーク、ミュンヘン

② 《ミロのヴィーナス》(部分) BC2世紀末　パロス大理石、高さ202cm、1820年メロス島出土、ルーヴル美術館、パリ

③ 《円盤投げ》(ローマンコピー・部分) BC450-BC440頃 (オリジナル)　大理石、高さ169cm、大英博物館、ロンドン

④ 《ラオコーン》(部分) BC40-BC20頃　大理石、高さ208cm、1506年ローマ出土、ヴァティカン美術館、ローマ

5 知識・情報の活用問題

[p.204]

日本工房『NIPPON』第1号 表紙　1934　デザイン：山名文夫
日本工房『NIPPON』第1号 p.4-5　1934
日本工房『NIPPON』第7号 表紙　1936　デザイン：河野鷹思
国際文化振興会『日本』裏 p.11-12　1938　制作：日本工房

[p.205]

Q365

① エドワード・スタイケン《ロダン（考える人）》1902　島根県立美術館
② 東方社『FRONT』1-2（海軍号）表紙　1942　表紙構成：原弘
③ マン・レイ《アングルのヴァイオリン》1924　ゼラチン・シルバー・プリント　30.8×23.1cm、個人蔵
④ 《赤玉ポートワインポスター》寿屋（現サントリー）ポスター　1922　AD：片岡敏郎、デザイン：井上木它、写真：河口写真店、京都工芸繊維大学美術工芸資料館

Q366

① オーブリー・ビアズリー《踊り子の報酬》（オスカー・ワイルド『サロメ』の挿絵）1893　インク・ペン・紙、23×16.5cm、フォッグ美術館（ハーバード大学）、ケンブリッジ
② アンリ・ド・トゥールーズ＝ロートレック《ムーラン・ルージュ》1891　リトグラフ、191×117cm、トゥールーズ＝ロートレック美術館ほか、アルビほか
③ A.M.カッサンドル《ノルマンディー号（ノースエクスプレス）》ポスター　1935　紙・リトグラフ
④ ヘルベルト・バイヤー『バウハウス』1号 表紙　1928　紙

[p.206]

① 亀倉雄策《第18回オリンピック競技大会（東京）》ポスター　1962　グラビア印刷、104×73cm、フォトディレクター：村越襄、写真：早崎治、武蔵野美術大学美術館・図書館、東京
熊田千佳慕『みつばちマーヤの冒険』表紙　1996　小学館
土門拳《室生寺》（『古寺巡礼』より）　1996　美術出版社
② 横尾忠則《劇団状況劇場「腰巻お仙・忘却篇」》ポスター　1966　シルクスクリーン・紙、103.1×72.3cm、徳島県立美術館ほか
資生堂 花椿マーク　1974　デザイン：山名文夫、原案（1915）：福原信三、資生堂
木村伊兵衛《青年・秋田市仁井田》（『秋田』より）　1952　ニコン・サロン・ブックス4（出版は1978）
③ 亀倉雄策「日本光学工業（現ニコン）のカメラシリーズ」ポスター　1957　シルクスクリーン・紙、103×72.8cm
『暮しの手帖』創刊号 表紙　1948　イラスト・デザイン：花森安治
土門拳《梅原龍三郎》（『風貌』より）1941　ゼラチン・シルバー・プリント、土門拳記念館、山形

実践問題

「美術検定」では2018年より［穴埋め問題］に代わり、
より美術の現場への理解を深める［実践問題］が
出題されるようになりました。
美術館、美術行政、展覧会実務、時事情報などを中心に、
知識と情報を活用した判断も求められる問題です。

※このパートでは、過去問題に新たな問題を加えています。

問題作成・執筆者
—

半田滋男（和光大学表現学部教授）
奥村高明

実践問題 1

以下のコレクターに関わる資料を読み、続く設問に答えてください。

［資料1］

戦前は日本でも、純粋な愛着と無償の情熱から、美術をあつめるコンツェルンの総帥、高級官僚、開明華族などがいた。原三渓、益田孝、根津嘉一郎、大倉喜八郎らは中国、日本の古美術を蒐集し、松方幸次郎、大原孫三郎、石橋正二郎、武田長兵衛らは、第一次大戦前後の好況を背景に西洋近代の名作をあさり、山本發次郎の佐伯祐三コレクション、平野久吉の藤田嗣治コレクションをはじめ、日本の同時代作家へのパトロネージの伝統も地方の富豪、名望家層には生きていた。それにたいして戦後は、書画骨董の概念からきりはなされた、現代美術の蒐集が一定の社会層に定着したようにみえるが、ここには「古きよき日」とはちがった問題が横たわっている。　　　　　　　　　　　　　（針生一郎『戦後美術盛衰史』1979年、東京書籍　p.134より引用）

［資料2］

a 根津美術館　　　b 藤田美術館　　　c 逸翁美術館　　　d 原美術館ARC　　　e 本間美術館

ア 山形県　　イ 大阪府　　ウ 京都府　　エ 東京都　　オ 兵庫県

Q370 ［資料1］に登場した4人のコレクターとそのコレクションの正しい組み合わせはどれですか。

① 大倉喜八郎 ― 関根正二《信仰の悲しみ》

② 石橋正二郎 ― ポール・ゴーガン《かぐわしき大地》

③ 根津嘉一郎 ―《普賢菩薩騎象像》

④ 松方幸次郎 ― オーギュスト・ロダン《地獄の門》

Q371 ［資料1］の著者は「『古きよき日』とはちがった問題」といっていますが、戦後のコレクターの問題として該当しないのは以下のどれでしょうか。

① 投機的思惑がからむため、所蔵作品は株券や投資信託などと同様にたやすく手放される危惧がある。

② 作家の肩書や評判に釣られ、室内装飾や贈答品として美術品を買う傾向がある。

③ 大手企業が積極的に現代美術コレクションを収集することで、現代美術のレベル低下をもたらす。

④ 日本では、コレクターや企業が美術品を買いあさることで、一部の現代美術の価格が不自然に高騰することがある。

Q 372

以下の美術館のうち、江戸時代の大名のコレクションに由来するのはどれですか。

① 三井記念美術館

② 永青文庫

③ 静嘉堂文庫美術館

④ 泉屋博古館

Q 373

[資料2] のa～eは企業や個人コレクションに由来する美術館です。館名と所在地
ア～オの組み合わせがすべて正しいものはどれですか。

① a ― エ　b ― イ

② b ― オ　c ― ウ

③ c ― エ　d ― イ

④ d ― オ　e ― ア

Q 374

コレクターや企業コレクションは、最終的に美術館を設立して作品を一般公開する
ことがありますが、その場合どのような団体を設立するのが一般的でしょうか。

① 独立行政法人

② 公益財団法人

③ 特定非営利活動法人

④ 公益社団法人

実 践 問 題 2

美術大学の学生 A さんと B さんの会話を読み、続く設問に答えてください。

［2人の会話］

A：評判の「レンブラント展」をみた？

B：みたよ。よく資料が網羅された見応えのある展覧会だったね。

A：うん。確かに海外にある重要な作品も展示されていたし、宣伝も会場装飾も派手な大規模企画だったと思うけど、僕には今ひとつ感動に欠ける展覧会だった。一緒に行った同級生たちも同じことを言っていたよ。

B：そうか？　画期的な展覧会だったのに。僕は東京で見逃したから、わざわざ K 市の美術館まで行ったんだ。

A：なるほど。もしかしたら展示のせいかもしれない。東京会場では<u>薄暗い展示室が多かったうえ、そんなに混雑してなかったのに、ほかの来館者が邪魔に感じられてよく絵がみえなかった</u>。展示室の四隅や解説パネルの前も混雑で通路がふさがれていて、イライラさせられた。

B：2会場の展示技術の違いが、展覧会の印象につながったのかもしれないな。K 市会場でも連日空前の入館者数だったらしいし、やはり展示会場の照明は暗かったけれど、絵はきちんと鑑賞することができたよ。

Q 375　美術館で展示する絵画作品の高さは、どのレベルに設定するのが一般的ですか。

① 145〜150cm

② 125〜130cm

③ 135〜140cm

④ 155〜160cm

Q 376　［2人の会話］から、混雑が見込まれる展示において、対策として求められる展示技術として最もふさわしいと考えられるものはどれでしょう。

① 混雑する会場で鑑賞しやすくするためには、照明の照度を若干上げる。

② 混雑する会場では、作品数を絞り込んでも、作品間の距離を確保する。

③ 混雑する会場では、絵画作品の高さをやや高めに展示して、可視性を確保する。

④ 混雑する会場では、入場料を意図的に高めに設定して、入場者数の調整を図る。

Q 377 Aさんが感じた下線部のような見にくさを解消する対策として、ふさわしいものはどれ
ですか。

① 誘導がなくても鑑賞者が自然に把握できる、できるだけ単純で無理のない動線を
取る。

② 矢印による順路サインを、しつこいくらい多めに設置する。

③ 警備員によって、滞留しがちな鑑賞者を誘導する。

④ 音声ガイドによって、鑑賞の補助手段とする。

Q 378 照度は作品保全にとって重要な要素ですが、両者は矛盾する関係にあります。以下
のうち、照明方法とその注意点の組み合せとして適当なものはどれですか。

① LED 照明 ― 赤外線

② 太陽光 ― 演色効果

③ 蛍光灯 ― 紫外線

④ ハロゲン電球 ― 放射性物質

Q 379 2人が話題にしたような巡回展では、予算やコスト削減、地方への大規模展招致な
どメリットもある一方でデメリットもあります。その主要なものはどれですか。

① 実質的な企画者がマスコミや企画業者で、学芸員が企画に積極的に関わっておら
ず、展示上の配慮に欠けるケースがある。

② 美術にあまり関心のない鑑賞者が美術館に多く訪れ、展示環境を害する。

③ 入場料による収益が主催者によって回収され、地方の文化施設にはまったく還元さ
れない。

④ 巡回展は一般的に集客目的の巡回興行であって、充実した内容であることはほと
んどない。

実 践 問 題 3

以下の資料を読み、続く設問に答えてください。

[資料]

2018年には［A］「大地の芸術祭 越後妻有アートトリエンナーレ」が開催された。2019年には同じ北川フラム氏のディレクションによる　B　、そして「あいちトリエンナーレ」も開催される予定である。

これらは、立ち上げに際して地方自治体が関与し、3年に1度のトリエンナーレ形式で開催されることが一般的だ。

これらの海外での先行例としては、カッセル（ドイツ）で　C　開催される「ドクメンタ」や、10年に1度開催される「ミュンスター・スカルプチャー・プロジェクト」がある。

Q380　［A］のプロジェクトは「継続している成功例」と評価されることも多いですが、その理由として最もふさわしいものは以下のどれですか。

① 県と開催地の市町村が、プロジェクト成功へ向けて、全職員が一致団結し全力で取り組んだため。

② 平成の市町村合併を控え、それを念頭に置いた総務省が先頭に立ち、積極的に音頭を取ったため。

③ 人口減少に危機感を抱いた地域住民が、積極的にプロジェクト推進に協力したため。

④ ディレクターをはじめとする運営側が、繰り返し地域の集落へ説明に向かい、じょじょに住民の理解と参加を得たため。

Q381　文中　B　にあてはまるイベント名はどれですか。

①「水と土の芸術祭」

②「さいたまトリエンナーレ（さいたま国際芸術祭）」

③「札幌国際芸術祭」

④「瀬戸内国際芸術祭」

Q382　資料に示した「大地の芸術祭…」や「あいち…」などの国内アートプロジェクトの特徴として、最もふさわしい事項はどれですか。

① 文化芸術の発展とともに、地方活性化や地域振興が目的の1つとされている。

② 出品作家として、世界中から将来を嘱望される若手作家がおもに選出され、見本市の役割を果たしている。

③ 近年著しく増加しているアジアからの観光客に、買い物以外の文化的満足を与えることが目的である。

④ 美術館施設の不足に対応するため、コストのかかる施設新築に対する代替案という意味を有する。

Q 383 文中 C にあてはまる言葉はどれですか。

① 3年に1度

② 4年以上に1度

③ 2年に1度

④ 毎年

Q 384 「ミュンスター・スカルプチャー・プロジェクト」が10年に1度の頻度で開催される、最もふさわしい理由はどれですか。

① 世界的に見ても最大規模のプロジェクトであり、その準備には多大な時間が必要なため。

② 市民が、前衛的な芸術作品にじょじょに親しみ、十分に定着するための時間を考慮したため。

③ 近年では同様の後発アートプロジェクトが多くあるため、開催年の間隔をあけることになった。

④ プロジェクトは都市再生のツールでもあり、道路、交通機関、住宅地などの整備にも時間をかけるため。

6
実践問題

実 践 問 題 4

美術大学の学生Aさん、Bさんの会話と資料を読み、続く設問に答えてください。

［2人の会話］

A：この間、「太陽の塔」の見学に行ったんだ。かっこよくて、携帯で写真を撮ったんだよね。ほら。

B：青空にも映えるね。この写真、SNSに載せているんだ。撮影許可なしだよね？　著作権の侵害にならないの？

A：<u>パブリックアートなら問題ないんだよ</u>①。

B：へえ、そうなんだ。僕も「太陽の塔」のフィギュアを作って、ネットで売ろうかな。

A：<u>ちょっと待って！　それはだめだよ</u>②。

［資料］

（あ）第二十条

著作者は、その著作物及びその題号の同一性を保持する権利を有し、その意に反してこれらの変更、切除その他の改変を受けないものとする。

（い）第二十一条

著作者は、その著作物を複製する権利を専有する。

（う）第三十条

著作権の目的となつている著作物（以下この款において単に「著作物」という。）は、個人的に又は家庭内その他これに準ずる限られた範囲内において使用すること（以下「私的使用」という。）を目的とするときは、次に掲げる場合を除き、その使用する者が複製することができる。

（え）第三十二条

公表された著作物は、引用して利用することができる。この場合において、その引用は、公正な慣行に合致するものであり、かつ、報道、批評、研究その他の引用の目的上正当な範囲内で行なわれるものでなければならない。

（お）第四十六条

美術の著作物でその原作品が前条第二項に規定する屋外の場所に恒常的に設置されているもの又は建築の著作物は、次に掲げる場合を除き、いずれの方法によるかを問わず、利用することができる。

　　一　彫刻を増製し、又はその増製物の譲渡により公衆に提供する場合
　　二　建築の著作物を建築により複製し、又はその複製物の譲渡により公衆に提供する場合
　　三　前条第二項に規定する屋外の場所に恒常的に設置するために複製する場合

四 専ら美術の著作物の複製物の販売を目的として複製し、又はその複製物を
販売する場合

※ 第四十五条で規定されている「屋外」とは、街路、公園その他一般公衆に開放されている場所のこと。
あらかじめ撮影禁止となっている場所は除く。

Q385 岡本太郎は何のために「太陽の塔」を考案しましたか。
① 1954 年開催のヴェネツィア・ビエンナーレ出品作
② 1964 年開催の東京オリンピックのためのモニュメント
③ 1970 年開催の日本万国博覧会のためのパヴィリオン

Q386 「太陽の塔」内部にあるオブジェのモチーフとされたのは、次のうちのどれですか。
① 生命の進化プロセス
② 科学技術の進歩
③ 縄文土器の神秘性

Q387 下線部①の発言について、その根拠として最もふさわしい条文は［資料］のどれです
か。
① あ ② い ③ う
④ え ⑤ お

Q388 下線部②の発言について、Aさんが根拠としたのは第四十六条です。そのうちどの
方法の組み合わせに触れると考えたのか、ふさわしいものを選んでください。
① 一と二 ② 一と三 ③ 一と四
④ 二と四 ⑤ 二と三 ⑥ 三と四

Q389 Aさんが撮影した「太陽の塔」の写真が、ある観光サイトのメイン画像として無許可
で掲載されました。この時関わってくる条文の組み合わせの中で、ふさわしいものは
どれですか。
① あ ─ お ② い ─ え ③ う ─ え

実践問題 5

資料[1]〜[3]を読み、続く設問に答えてください。

[資料1]

近年では美術館の利用者として多様な背景をもつ人びとが意識されるようになってきている。美術館来館者として高い割合を占める ▢ A ▢ をはじめ、子供連れ、障がい者、外国人観光客や、美術館になじみのない潜在的利用者をも含めたさまざまな対象への対応が行われつつある。

（『アートの裏側を知るキーワード』p.124より引用）

[資料2]我が国の人口ピラミッド

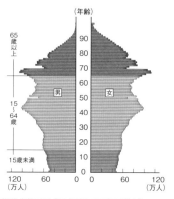

総務省統計局（平成28年10月1日現在）

[資料3]多言語化の例

東京国立近代美術館HPより（一部抜粋拡大）
Webサイト、作品解説・キャプション、各種サイン、音声ガイドなどの多言語化

Q390　[資料1]の ▢ A ▢ にふさわしいものはどの年齢層ですか。[資料2]を参照して答えてください。

① 15歳未満の子供
② 15〜64歳の全年齢層
③ 65歳以上の高齢者

Q391　[資料1]の活動を展開するために、NPOなどの市民団体と美術館が協働するケースがあります。その理由として、最もふさわしいものはどれですか。

① 人件費などの予算不足を補うことが目的である。
② 多様な人々に寄り添う活動をしてきたNPOなどのノウハウを生かすことができる。
③ 生涯学習促進の一環として、条例で地域の市民団体育成が定められている。

Q392

子供連れや障がい者のための設備として、美術館が提供している組み合わせはどれ
ですか。

① 授乳室 ― エアタイトケース ― 貸出用ベビーカー
② 点字ブロック ― 貸出用車椅子 ― LED照明
③ 点字ブロック ― スロープ ― 貸出用ベビーカー

Q393

[資料3] に示した工夫は、何を目的としていますか。次のうちから最もふさわしいも
のを選んでください。

① 東京オリンピックに向けた短期的な施策
② 日本語を母語としない層への来館促進
③ 学校が要請する外国語教育の一環

Q394

美術館の施策として、近年、最も定着したといわれるものはどれですか。最も適切な
ものを選んでください。

① 近隣小学校の美術鑑賞を目的とした美術館訪問
② 認知症関係者を対象とした美術鑑賞プログラム
③ 高齢者施設へのアウトリーチ活動

正解

Q370 ④	Q371 ①	Q372 ②	Q373 ①	Q374 ②
Q375 ①	Q376 ③	Q377 ①	Q378 ③	Q379 ①
Q380 ④	Q381 ④	Q382 ①	Q383 ②	Q384 ②
Q385 ③	Q386 ①	Q387 ⑤	Q388 ③	Q389 ②
Q390 ③	Q391 ②	Q392 ③	Q393 ⑨	Q394 ①

実践問題1

アートの現場では、美術館、ギャラリーなどとともに、アーティストをパトロネージュするコレクターの存在は重要です。多くの芸術家や芸術活動が、資産家や財閥の財力の恩恵を被り、今日の文化芸術が形成されてきました。この設問では大名、豪商に由来するコレクション、近代以降の日本の代表的なコレクターの活動を確認しておくことが目的です。問題文にあるコレクター以外にも小林一三、五島慶太、正木孝之など重要なコレクターは多くいます。また、近年のベネッセグループやDIC株式会社のコレクションも忘れてはなりません。コレクションは、散逸することもありますが、のちに公益法人化されて公開されることもあり、コレクション史は美術史の重要な一分野でもあります。昭和時代末期からは、コレクションに財を傾注する企業は減少しましたが、近年になってベンチャー企業の成功者たちが、豊富な財力を美術作品収集や文化芸術活動に投下する傾向が見られます。

実践問題2

ギャラリーや美術館での展覧会の評価は、企画の内容とともに、展示作業を直接つかさどる担当者の力量、すなわち展示技術、知識、経験が影響します。実際には経験を積む必要のある業務ですが、基本的な知識を習得しておく必要があります。まず、基本となる壁面展示は通常絵画の中央を145～150cmに設定するのが一般的です。ただし、混雑が予測される展覧会では、やや高めに設定します。照明は、紙が支持体の作品、水彩やインクなど、退色が危惧される画材の作品は、照度50ルクス以下など、極端な低照度が求められます。さらに鑑賞者を促すことなく、滞留を最低限にする動線の確保、作品間の間隔、空間設計などじつにさまざまな要素を考慮に入れる必要があります。数カ所で開催される巡回展では、会場によって印象が異なることがあるのは、会場毎の担当者のこだわりと力量が影響するためです。保存にも影響する数値的な条件は、とくに覚えておきましょう。

実践問題3

日本では2000年代に入って、恒久的な展示施設以外の廃校、空屋などを利用した展覧会が多く開催されるようになっています。「大地の芸術祭 越後妻有アートトリエンナーレ」の成功が牽引役となり、瀬戸内・愛知の芸術祭がそれに続き、短期のうちに全国に同種のイベントが開催されるようになっています。これらアートプロジェクトは、芸術祭と通称されることが多くなっていますが、都市の再活性化や過疎化した地方の地域活性化など、地域振興が目的に付与されていることが一般的です。その成否は短期的に判断され難いものであり、批判を含んだ多くの議論を呼んでいます。アートの在り方それ自体の再考を促す重要な動向です。先例としては19世紀からの歴史を数える「ヴェネツィア・ビエンナーレ」(イタリア)をはじめ[資料]にあるドイツのプロジェクトなどが挙げられ、開催年毎に問題や話題を巻き起こしながらも継続し、まちのアイデンティティともなっています。

実践問題4

芸術に関する仕事では著作権に関する知識は大変重要です。著作権法は自由な創作活動を保護し、著作者の権利を保護するための法規で、著作権とは、著作物(作品)について申請や登録はなくとも発生する権利です。意図的でなくても権利侵害は、民事訴訟、刑事訴追につながる可能性があります。その内容は大きく【1.財産権としての狭義での著作権】と【2.譲渡や貸与することのできない著作者人格権】に分かれ、それぞれがさらに支分権といわれるさまざまな権利の複合体となっています。この設問では、著作者人格権の支分権の1つである同一性保持権と展示権、財産権の一部である複製権について、日頃私たちがよく目にする「パブリックアート」を例に確認しています。近年では SNS など インターネットでの作品画像配信など、新たな事例が相次いでいるので、最新情報に注意しておきたい事項です。

実践問題5

日本の美術館の活動は博物館法に定められ、博物館法は社会教育法の精神に基づくことが第1条にうたわれています。すなわち、美術館は社会教育施設として教育全体に資する役割を持っているのです。ここでは、その美術館の社会的役割と教育普及的な施策などが採り上げられています。美術館は幅広い年齢層や環境の人々の来館促進のために、施設のバリアフリー化や授乳室、休憩場所の増設、車椅子やベビーカーの設置を進めてきました。さらに多様な層が美術や美術館を楽しめるよう対象別のプログラムを設けるなど、ハード・ソフトの両面で、人々が利用しやすい環境づくりに努めています。また、2002年施行の「学習指導要領」以来、美術館と学校との連携も少しずつ図られるようになってきています。一方で、近年では、政府や自治体の訪日外国人観光客の誘致PRの一環として、魅力的な観光拠点である美術館としての役割が期待されるようになってきたことも、知っておきたい事項です。

知る、
わかる、
みえる

美術検定®
2
応用編
intermediate
級問題

発行日	2021年5月28日　第1刷
	2024年5月20日　第2刷
編者	一般社団法人美術検定協会「美術検定」実行委員会
監修	半田滋男、池上英洋、奥村高明、暮沢剛巳、橋 秀文
企画構成・編集・執筆	染谷ヒロコ（atopicsite）
執筆	荒木和、野田由美意、齊藤佳代、松島仁、暮沢剛巳、
	小金沢智、藤田麻希、半田滋男、奥村高明
編集補佐	坂本裕子
制作進行	高橋紀子
ブックデザイン	川添英昭
発行人	久保田佳也
発行	カルチュア・コンビニエンス・クラブ株式会社
	美術出版社書籍編集部
発売	株式会社美術出版社
	〒141-8203
	東京都品川区上大崎3-1-1 目黒セントラルスクエア5F
	電話：03-6809-0318（代表）
印刷・製本	シナノプラス株式会社

乱丁・落丁の本がございましたら、小社宛にお送りください。送料負担でお取り替えいたします。
本書の全部または一部を無断で複写（コピー）することは著作権法上での例外を除き、
禁じられています。

https://bijutsu.press

ISBN／978-4-568-24084-9 C0070
©The Art Certification Test Association/Culture Convenience Club Co.,Ltd 2024　Printed in Japan